Einaudi Ragazzi

Storie e rime

81

Collana diretta da Orietta Fatucci

ISBN 978-88-7926-232-3

www.edizioniel.com

Il presente testo nasce da un'idea di Gianni Rodari stesso che fin dal '62 vedeva nel suo *Libro degli errori* «un originale schedario ortografico»; Gianni, cioè, pensava alla scuola come un territorio di libertà in cui impegno e divertimento non fossero in opposizione. A rileggere oggi la sua produzione ci si accorge, perciò, che i temi cari alla scuola, quelli «frequentati» dalle antologie, privilegiati dai libri di lettura esistono già tutti nella sua produzione in versi e in prosa. Sembra quasi che Gianni stesso li abbia concepiti come parte di quella gigantesca antologia che è l'esperienza della vita: consegnarli ai bambini sperando davvero che il piacere della lettura non sia soffocato da note e commenti è dunque un omaggio al maggiore autore italiano per ragazzi del nostro Novecento. I testi qui riuniti in sezioni «quasi scolastiche» sono tratti dalle sue opere tutte pubblicate da Einaudi Ragazzi con le illustrazioni di Francesco Altan: *Prime fiabe e filastrocche*, *Favole al telefono*, *Il libro degli errori*, *Fiabe e Fantafiabe*, *Gli affari del signor Gatto*, *Storie di Marco e Mirko*, *Le favolette di Alice*, *Zoo di storie e versi*, *Versi e storie di parole*, *I viaggi di Giovannino Perdigiorno*, *Filastrocche in cielo e in terra*, *Il secondo libro delle filastrocche*, *Altre storie*.

Gianni Rodari

Fra i banchi

Illustrazioni di Francesco Altan

Einaudi Ragazzi

Fra i banchi

Animali in libertà

Passatempi nella giungla

Ecco come io immagino che si divertano le bestie della giungla. Non ho visto niente di quello che racconto, naturalmente, ma sono sicuro che è cosí.

Prima di tutto le scimmie. Esse sono veramente i monelli della giungla. Il loro passatempo preferito è di tirare noci di cocco sulla schiena del coccodrillo, che sonnecchia tra il fango.

– Avanti! – dice il coccodrillo, credendo che qualcuno abbia bussato alla sua schiena per avere il permesso di entrare nel fiume. Le scimmie ridono a crepapelle e continuano il loro tiro a segno.

– Avanti! – urla il coccodrillo. Quando si accorge che sono state le scimmie, le minaccia: – Tingerò il fiume di rosso con il vostro sangue, figlie del diavolo!

A questo punto un serpente gli tira la coda e scappa via piú in fretta che può.

Gli elefanti sono piú spiritosi e giocano

alla «proboscide di ferro». Proprio come noi che giochiamo al «braccio di ferro». Come fanno? Si mettono faccia a faccia, drizzano le proboscidi in aria e le accostano l'una all'altra. Poi fanno forza: vince chi riesce a piegare per primo la proboscide dell'avversario.

Gli elefantini giocano invece a stare in equilibrio sulla punta della proboscide e a girare su quella come una trottola.

Ci sono anche nella giungla degli istituti di bellezza, dove le tigri vanno a farsi tingere le strisce sulla pelle, e a farsi impomatare i baffi e a parlar male del leone. Quando però il leone entra a farsi pettinare la criniera, stanno tutte zitte.

– Colonia o brillantina? – domanda il leopardo che fa da barbiere.

– Brillantina, – risponde il leone.

Appena il leone è uscito, le tigri parlano tutte insieme:

– È quasi calvo e si fa mettere la brillantina! Dovrebbe portare una parrucca, poveretto.

Il leone va a fare una partita a bocce con l'orso: come bocce, naturalmente, usano le solite noci di cocco.

Il leone tira troppo forte la sua noce e la manda a finire sulla schiena del coccodrillo. Si sente: Toc. – Avanti, – dice il coccodrillo.

Il leone e l'orso si fanno delle grasse risate.
Il coccodrillo borbotta: – Non si può mai dormire in pace.

Il giovane gambero

Un giovane gambero pensò: «Perché nella mia famiglia tutti camminano all'indietro? Voglio imparare a camminare in avanti, come le rane, e mi caschi la coda se non ci riesco».

Cominciò ad esercitarsi di nascosto, tra i sassi del ruscello natio, e i primi giorni l'impresa gli costava moltissima fatica. Urtava dappertutto, si ammaccava la corazza e si schiacciava una zampa con l'altra. Ma un po' alla volta le cose andarono meglio, perché tutto si può imparare, se si vuole.

Quando fu ben sicuro di sé, si presentò alla sua famiglia e disse:

– State a vedere.

E fece una magnifica corsetta in avanti.

– Figlio mio, – scoppiò a piangere la madre, – ti ha dato di volta il cervello? Torna in te, cammina come tuo padre e tua madre ti hanno insegnato, cammina come i tuoi fratelli che ti vogliono tanto bene.

I suoi fratelli però non facevano che sghignazzare.

Il padre lo stette a guardare severamente per un pezzo, poi disse: – Basta cosí. Se vuoi restare con noi, cammina come gli altri gamberi. Se vuoi fare di testa tua, il ruscello è grande: vattene e non tornare piú indietro.

Il bravo gamberetto voleva bene ai suoi, ma era troppo sicuro di essere nel giusto per avere dei dubbi: abbracciò la madre, salutò il padre e i fratelli e si avviò per il mondo.

Il suo passaggio destò subito la sorpresa di un crocchio di rane che da brave comari si erano radunate a far quattro chiacchiere intorno a una foglia di ninfea.

– Il mondo va a rovescio, – disse una rana, – guardate quel gambero e datemi torto, se potete.

– Non c'è piú rispetto, – disse un'altra rana.

– Ohibò, ohibò, – disse una terza.

Ma il gamberetto proseguí diritto, è proprio il caso di dirlo, per la sua strada. A un certo punto si sentí chiamare da un vecchio gamberone dall'espressione malinconica che se ne stava tutto solo accanto a un sasso.

– Buon giorno, – disse il giovane gambero.

Il vecchio lo osservò a lungo, poi disse: – Cosa credi di fare? Anch'io, quando ero giovane, pensavo di insegnare ai gamberi a camminare in avanti. Ed ecco che cosa ci ho guadagnato: vivo tutto solo, e la gente si mozzerebbe la lingua piuttosto che rivolgermi la parola. Fin che sei in tempo, da' retta a me: rassegnati a fare come gli altri e un giorno mi ringrazierai del consiglio.

Il giovane gambero non sapeva cosa rispondere e stette zitto. Ma dentro di sé pensava: «Ho ragione io».

E salutato gentilmente il vecchio riprese fieramente il suo cammino.

Andrà lontano? Farà fortuna? Raddrizzerà tutte le cose storte di questo mondo? Noi non lo sappiamo, perché egli sta ancora marciando con il coraggio e la decisione del primo giorno. Possiamo solo augurargli, di tutto cuore: – Buon viaggio!

Il serpente *bidone*

Zoologia, capitolo rettili:
il serpente *bidone*...
Alt. Fermiamoci qui.
Consideriamo attentamente
questo serpente-truffa,
questa buffa creatura
che non farebbe paura
a un cardellino.
Vi pare il caso
di lasciarlo vagare
nella giungla misteriosa
tra il cobra, il boa,
la tigre sanguinosa
e altra gente cosí?
O mettetegli il coperchio,
o ridategli presto
la sua «p» e la sua «t».

La mia mucca

La mia mucca è turchina
si chiama Carletto
le piace andare in tram
senza pagare il biglietto.

Confina a nord con le corna,
a sud con la coda.
Porta un vecchio cappotto
e scarpe fuori moda.

La sua superficie
non l'ho mai misurata,
dev'essere un po' meno
della Basilicata.

La mia mucca è buona
e quando crescerà
sarà la consolazione
di mamma e di papà.

(Signor maestro, il mio tema
potrà forse meravigliarla:
io la mucca non ce l'ho,
ho dovuto inventarla.)

La stella Gatto

In quel tempo, a Roma, diverse persone andavano via con i gatti. Pensatori che, a causa delle automobili, non trovavano piú la quiete per pensare; vecchi che avevano delle storie da raccontare, ma nessuno li stava a sentire e in casa per loro non c'era piú posto; donne rimaste sole in un appartamento vuoto: pigliavano su e sparivano. Di loro non si sapeva piú nulla. Erano andati via con i gatti.

Come facevano? Questo si è saputo dopo, col tempo. Era una cosa molto semplice. Si faceva, piú che altro, in piazza Argentina.

Questa piazza è fatta cosí: tutt'in giro ci sono strade, palazzi, automobili, filobus, chiasso, ma in mezzo alla piazza c'è uno spazio dove stanno alcuni gloriosi ruderi romani, le rovine di due o tre tempietti, mezze colonne rovesciate, praticelli, qualche pino, qualche cipresso. E i gatti. Non ci possono andare le automobili, là dentro e laggiú, nei sotterranei ombrosi, sotto i portici antichi. È come un'isola serena in mezzo al mare del traffico, da cui la separano una cancellata e pochi gradini. Si scendono quei gradini e si è in mezzo ai gatti. Sono molti, di tutte le razze. Ci sono giovani cuccioli che giocano ad acchiappare lucertole e vecchi gattoni che dormono tutto il tempo e si svegliano solo quando arrivano le «mamme dei gatti», coi loro cartoccetti di avanzi per la cena. Ogni gatto si sceglie il posto che piú gli piace, si infila in una nicchia, si allunga ai piedi di una colonna, si acciambella sui gradini di un tempio.

Quelle persone scendevano i gradini, scavalcavano la bassa cancellata, diventavano gatti e cominciavano subito a leccarsi le zampe.

La gente che passava e guardava, mettiamo, dal finestrino di un filobus, vedeva soltanto gatti. Poteva distinguere quello con un occhio acciaccato da una sassata, quello che aveva perduto un orecchio in battaglia, il grigio, il rosso, il tigrato, il nero. Ma non sapeva che tra quei gatti c'erano dei gatti-gatti, nati di padre gatto e di madre gatta, e dei gatti-persone che prima, nel mondo di su, erano stati funzionari al ministero delle poste, capistazione, conducenti di autotreni o di tassí.

Veramente un modo per riconoscerli ci sarebbe stato. Per esempio, quando arrivavano le «mamme dei gatti» c'erano dei gatti che si precipitavano a disputarsi le frattaglie, le teste di pesce, le croste di formaggio, e questi erano i gatti-gatti. Ce n'erano altri che invece, senza parere, davano prima un'occhiata ai brandelli di giornale in cui quegli avanzi erano stati avvolti. Leggevano un mezzo titolo, dieci righe di una notizia strappata sul piú bello, guardavano la fotografia di una principessa che si sposava. Cosí, mettendo insieme le loro osservazioni, si tenevano al corrente delle cose del mondo di prima, sapevano quando il governo voleva aumentare le tasse e se era scoppiata in qualche posto una nuova guerra.

In quel tempo andò via con i gatti anche la signorina De Magistris, una maestra in pensione che non riusciva piú ad andare d'accordo con sua sorella e se ne andò via, lasciandole anche il suo amato gatto, che si chiamava Agostino. La signorina De Magistris, nella sua lunga vita, aveva insegnato a leggere a migliaia di bambini e aveva avuto decine di gatti, ma tutti di nome Agostino, perché cosí si era chiamato il suo primo gatto, morto sotto il tram, e lei non lo aveva mai dimenticato. Successero tante cose, tra i gatti, dopo l'arrivo della signorina De Magistris.

Una sera essa spiegava le stelle al signor Moriconi, già netturbino ed ora gatto nero con stella bianca sul petto. Altri gatti-persone e non pochi gatti-gatti seguivano le sue spiegazioni, guardando per aria quando lei diceva:

– Ecco, là, quella è la stella Arturo.

– Ho conosciuto uno che si chiamava Arturo, – diceva il signor Moriconi, – si faceva sempre prestare i soldi per giocare al lotto, ma non ha mai vinto.

– Vedete quelle sette stelle là, là e là? Quella è l'Orsa Maggiore.

– Un'orsa in cielo? – domandò, scettico, il gatto Pirata, un gatto-gatto soprannominato cosí perché, come molti pirati della storia, era cieco da un occhio.

– Anzi, – rispose la signorina De Magistris, – ce ne sono due: Orsa Maggiore e Orsa Minore. Anche di cani ce ne sono due: Cane Maggiore e Cane Minore.

– Cani, – sputò Pirata, con disprezzo. – Bella roba.

– Ci sono molte altre stelle con nomi di animali? – domandò il signor Moriconi.

– Moltissime. Ci sono il Serpente, la Gru, la Colomba, il Tucano, l'Ariete, la Renna, il Camaleonte, lo Scorpione...

– Bella roba, – ripeté il Pirata.
– Ci sono la Capretta, il Leone, la Giraffa.
– Ma allora è proprio un giardino zoologico, – commentò il Pirata.
Un altro gatto-gatto, tanto timido che balbettava, soprannominato Zozzetto – («zozzo», a Roma, vuol dire sudicio; ma Zozzetto non era sudicio per niente, si lavava venti volte al giorno; valli a capire, i soprannomi...) – Zozzetto, dunque, domandò:
– E c'è... cecè... c'è pu-pure il Ga-gatto?
– Mi dispiace, – sorrise la signorina De Magistris, – il Gatto non c'è.
– Fra tutte quelle stelle che si vedono, – fece il Pirata, – non ce n'è una sola che porti il nostro nome?
– Nemmeno una.
Ci furono dei mormorii di disapprovazione e di protesta.
– Buona, questa...
– Scorpioni, millepiedi, scarafaggi, sí; gatti, niente...
– Contiamo meno delle capre?
– Siamo i figli della serva, noi?
Ma l'ultima parola, per quella sera, toccò al Pirata: – Non c'è che dire, gli uomini ci vogliono proprio bene. Quando ci sono da pigliare i topi, micio di qui, micio di là, ma le stelle le danno ai cani e ai porci. Mi caschi

anche l'occhio buono se da oggi in avanti tocco piú un topo.

Passò qualche tempo. Ed ecco che un giorno il signor Moriconi lesse in un pezzo di giornale odoroso di baccalà un titolo che diceva: «Gli studenti occupano l'uni...»

In quel punto il giornale era strappato.

– E che cosa mai avranno occupato? – si domandò ad alta voce.

– L'università, – gli spiegò la signorina De Magistris, che, essendo stata una maestra, sapeva tutto. – Non erano contenti di qualcosa e, in segno di protesta, hanno occupato l'università.

– Ma occupato come?

– Penso che sia andata cosí: sono entrati, hanno chiuso le porte e hanno cominciato a fare dei comunicati ai giornali, per far sapere che cosa vogliono.

– E... ecco, – balbettò Zozzetto, emozionatissimo.

– Ecco, e poi? – borbottò il Pirata.

– Ma sic... sicuro. È co-cosí che do-dobbiamo fa-fare!

– Che cosa c'entriamo noi con l'università?

– Ma pe-per la ste... la ste...

– Ho capito, – interpretò il Pirata, – gli uomini non ci danno una stella, noi in segno di protesta occupiamo... Già, che cosa occupiamo?

La conversazione diventò ben presto un tumulto. Gatti-gatti e gatti-persone, afferrata l'idea di Zozzetto, discutevano con entusiasmo il modo di metterla in pratica.

– Bisogna occupare un posto in vista, che la gente se ne accorga subito.

– La stazione!

– No, no, niente disastri ferroviari.

– Piazza Venezia!

– Cosí ci arrestano perché intralciamo il traffico.

– La cupola di San Pietro!

– Sta troppo in alto, un gatto, là in cima, bisogna avere il binocolo per vederlo.

Anche stavolta l'ultima parola toccò al Pirata.

– Il Colosseo, – disse. E subito tutti capirono che quella era l'idea giusta, che il Colosseo era il posto giusto da occupare.

Il Pirata prese subito il comando delle operazioni: – Noi dell'Argentina siamo pochi. Bisogna avvertire anche i gatti dell'Aventino, del Palatino, dei Fori, quelli del San Camillo...

– Sí, quelli! Quelli non vengono, mangiano troppo bene.

Il San Camillo è un ospedale. Nei padiglioni ci stanno i malati, nei praticelli e nei cespugli che circondano i padiglioni ci stanno i gatti. All'ora dei pasti essi si schierano sotto le finestre, anche un quarto d'ora prima, e aspettano che i malati gettino loro gli avanzi del pranzo e della cena.

– Verranno, – sentenziò il Pirata.

Difatti, vennero. Durante la notte vennero da tutta Roma, dai ruderi e dalle cantine, dai luoghi illustri pieni di storia e dai vicoli pieni di immondizie, vennero da Trastevere e da Monti, da Panico e dal Portico d'Ottavia, da tutti i vecchi rioni del centro, dai villaggi di baracche della lontana periferia, a centinaia, a migliaia, vennero i gatti e occuparono il Colosseo. Ogni arcata, ad ogni piano, era occupata da una densa fila di gatti a coda ritta. Ce n'era una fila compatta in cima, sulle pietre piú alte. Erano visibili a occhio nudo e a grande distanza.

I primi a vederli furono gli operai e i garzoni dei bar, che sono i primi ad alzarsi, a Roma. Poi li videro gli impiegati statali, che vanno in ufficio alle otto (poi dicono che i romani sono dormiglioni...). In pochi minuti si fece una gran folla intorno al vecchio anfiteatro. I gatti stavano zitti zitti, ma la gente no.

– E ched'è? 'Na gara de bbellezza?

– È 'na parata: ha da esse la festa nazionale de li gatti.

– Anvedi quanti. Mo' telefono a casa pe' fallo sapere ar mio: quanno so' uscito, dormiva ancora. Ce vorrà vení lui puro.

Alle nove arrivò il primo gruppo di turisti. Volevano entrare al Colosseo per visitarlo, ma l'ingresso era ostruito, tutti gli ingressi erano occupati dai gatti, non si poteva passare.

– Fia, fia, pestiacce! Noi folere fetere Coliseo.

– Prutti catti, pussa fia!

Qualche romano ci si offese: – Brutti gatti? Sarete belli voi! Ma senti 'sti pellegrini!

Volarono parole grosse, stava per scoppiare una rissa tra romani e turisti, quando una signora turista gridò:

– Pravi! Pravi micini! Fifa i catti!

Il fatto è che un momento prima la signorina De Magistris aveva dato il segnale, e i gatti avevano spiegato e ora facevano sventolare una grande bandiera bianca su cui avevano scritto: «Vogliamo giustizia! Vogliamo la stella Gatto!»

Romani e turisti, affratellati da una bella risata, applaudirono fragorosamente.

– E che, – gridò un vetturino borbottone, – nun ve abbastano li sorci, mò ve volete magnà puro le stelle!

La signora turista, che era una professoressa di astronomia e aveva capito di che si trattava, spiegò la questione al vetturino. Il quale borbottò, convinto: – Be', cianno raggione puro loro, povere bbestie.

Insomma, fu una magnifica occupazione e durò fino a mezzanotte. Poi le varie tribú dei gatti si dispersero, a passi felpati, per la capitale addormentata.

La signora De Magistris, il Signor Moriconi, il Pirata, Zozzetto e tutti gli altri gatti-gatti e gatti-persone dell'Argentina sfilarono silenziosamente per via dei Fori, piazza Venezia, via delle Botteghe Oscure.

Zozzetto, per la verità, aveva qualche dubbio: – Ma o... ora la ste... stella ce ce la da-danno o no?

Disse il Pirata: – Calma, Zozzetto, Roma non è mica stata fatta in un giorno. Adesso sanno che cosa vogliamo, sanno che siamo capaci di occupare un Colosseo. La cosa deve fare la sua strada, poco alla volta. Se ci danno la stella Gatto subito, bene. Altrimenti avvertiremo i gatti di Milano, e loro occuperanno il Duomo; prenderemo contatto con i gatti di Parigi, e loro occuperanno la Torre Eiffel. Eccetera, mi sono spiegato?

Zozzetto, invece di rispondere, fece una capriola: a fare le capriole non balbettava mica.

Il signor Moriconi, però, aggiunse: – Bene.

Ma poi che non facciano scherzi. La stella Gatto ce la debbono dare che sia proprio sopra piazza Argentina, altrimenti non vale.
– Sarà cosí, – disse il Pirata. E come sempre l'ultima parola fu la sua.

La volpe fotografa

Una volpe scoprí un bel giorno che la sua vera vocazione era quella di fare il fotografo ambulante. Ve la sareste fatta fare voi una fotografia da quella astuta comare? Io, francamente, no. Ed ora vi spiego i motivi.

Dunque, con la sua nuova macchina munita di treppiede e con una bella mostra di fotografie per dimostrare la sua bravura, ecco comare Volpe piazzarsi nei paraggi di un grosso pollaio. Le galline, dietro la rete metallica, si sentivano al sicuro e perciò si fecero piú vicine.

– Osservate che belle e artistiche fotografie! – comincia la Volpe. – Questa la feci al gallo Codaverde, quando dovette mandare il suo ritratto alla fidanzata.

– Uh, bellissima! – esclamarono ammirate le gallinelle.

– Questa la feci ad una famiglia di conigli. Hanno voluto anche l'aureola dietro la testa, perché si tratta di una famiglia molto reli-

giosa: ed io li ho accontentati. Con la mia macchina posso fotografare tutto quel che si vede, ed anche quello che non si vede!

Un paio di pollastrelle vanitose decisero allora di farsi fotografare: – Però vogliamo venire con uno strascico di piume...

– Certo, certo. È tutto gratis... Io sono un'artista, una benefattrice, non una commerciante.

Le pollastrelle, vinte dall'entusiasmo, escono gongolando dal pollaio e si mettono in posa. La Volpe finge di guardare nella sua macchina: ficca la testa sotto il panno nero, la ritira fuori, sposta il treppiedi, mette a fuoco l'obiettivo: – Piú vicine, prego, e sorridete. Guardate quell'albero a destra. Pronte? Ferme, eh?

E quando furono abbastanza vicine e ben ferme che parevano di sasso, con un balzo fu loro addosso e le mangiò in un solo boccone. Poverette. Era meglio se si contentavano di un disegno fatto alla buona, magari col carbone.

Alla formica

Chiedo scusa alla favola antica,
se non mi piace l'avara formica.
Io sto dalla parte della cicala
che il piú bel canto non vende, regala.

Lo Zoo delle favole

Signori e signore
venite a visitare
lo Zoo delle favole
con le bestie piú rare.

Ammirate in questa gabbia
il Gatto con gli stivali
mentre con crema e spazzola
si lucida i gambali.

Al Grillo Parlante
qui rivolgete l'occhio:
è zoppo da tre zampe
per colpa di Pinocchio.

Il Pesciolino d'oro
nuota in questo laghetto:
la zuppa di pepite
è il suo piatto prediletto.

Il Coniglio di Alice
abita qui vicino:
ha un orologio svizzero
in ogni taschino.

Vedete da questa parte
il Corvo poco saggio
che apre il becco a cantare
e perde il suo formaggio:

non ha ancora imparato
l'antica lezione:
ci costa ogni mattina
tre etti di provolone.

Giorni e stagioni dell'allegria

È in arrivo un treno carico di...

Nella notte di Capodanno,
quando tutti a nanna vanno,
è in arrivo sul primo binario
un direttissimo straordinario,
composto di dodici vagoni
tutti carichi di doni...

Gennaio

Sul primo vagone, sola soletta,
c'è una simpatica vecchietta.
Deve amar molto la pulizia
perché una scopa le fa compagnia...
Dalla sua gerla spunta il piedino
di una bambola o d'un burattino.
– Ho tanti nipoti, – borbotta, – ma tanti!
E se volete sapere quanti,
contate tutte le calze di lana
che aspettano il dono della Befana.

Febbraio

Secondo vagone, che confusione!
Carnevale fa il pazzerellone:
c'è Arlecchino, c'è Colombina,
c'è Pierrot con la sua damina,
e accanto alle maschere d'una volta
galoppano indiani a briglia sciolta,
sceriffi sparano caramelle,
astronauti lanciano stelle
filanti, e sognano a fumetti
come gli eroi dei loro giornaletti.

Marzo

Sul terzo vagone
viaggia la Primavera
col vento marzolino.
Gocce ridono e piangono
sui vetri del finestrino.
Una rondine svola,
profuma una viola...
Tutta roba per la campagna.
In città, fra il cemento,
profumano soltanto
i tubi di scappamento.

Aprile

Il quarto vagone è riservato
a un pasticcere rinomato

che prepara, per la Pasqua,
le uova di cioccolato.
Al posto del pulcino c'è la sorpresa.
Campane di zucchero
suoneranno a distesa.

Maggio

Un carico giocondo
riempie il quinto vagone:
tutti i fiori del mondo,
tutti i canti di Maggio...
Buon viaggio! Buon viaggio!

Giugno

Giugno, la falce in pugno!
Ma sul sesto vagone
io non vedo soltanto
le messi ricche e buone...
Vedo anche le pagelle:
un po' brutte, un po' belle,
un po' *gulp*, un po' *squash!*
Ah, che brutta invenzione,
amici miei,
quei cinque numeri prima del sei.

Luglio

Il settimo vagone
è tutto sole e mare:

affrettatevi a montare!
Non ci sono sedili, ma ombrelloni.
Ci si tuffa dai finestrini
meglio che dai trampolini.
C'è tutto l'Adriatico,
c'è tutto il Tirreno:
non ci sono *tutti* i bambini...
ecco perché il vagone non è pieno.

Agosto

Sull'ottavo vagone
ci sono le città:
saranno regalate
a chi resta in città
tutta l'estate.
Avrà le strade a sua disposizione:
correrà, svolterà, parcheggerà
da padrone.
A destra e a sinistra
sorpasserà se stesso...
Ma di sera sarà triste lo stesso.

Settembre

Osservate sul nono vagone
gli esami di riparazione.
Severi, solenni come becchini...
e se la pigliano con i bambini!
Perché qualche volta, per cambiare,
non sono i grandi a riparare?

Ottobre

Sul decimo vagone
ci sono tanti banchi,
c'è una lavagna nera
e dei gessetti bianchi.
Dai vetri spalancati
il mondo intero può entrare:
è un ottimo maestro
per chi lo sa ascoltare.

Novembre

Sull'undicesimo vagone
c'è un buon odore di castagne,
paesi grigi, grige campagne
già rassegnate al primo nebbione,
e buoni libri da leggere a sera
dopo aver spento la televisione.

Dicembre

Ed ecco l'ultimo vagone,
è fatto tutto di panettone,
ha i cuscini di cedro candito
e le porte di torrone.
Appena in stazione sarà mangiato
di buon umore e di buon appetito.
Mangeremo anche la panca
su cui siede a sonnecchiare
Babbo Natale con la barba bianca.

L'uomo di neve

Bella è la neve per l'uomo di neve,
che ha vita allegra anche se breve

e in cortile fa il bravaccio
vestito solo d'un cappellaccio.

A lui non vengono i geloni,
i reumatismi, le costipazioni...

Conosco un paese, in verità,
dove lui solo fame non ha.

La neve è bianca, la fame è nera,
e qui finisce la tiritera.

Capodanno

Filastrocca di Capodanno
fammi gli auguri per tutto l'anno:

voglio un gennaio col sole d'aprile,
un luglio fresco, un marzo gentile,

voglio un giorno senza sera,
voglio un mare senza bufera,

voglio un pane sempre fresco,
sul cipresso il fiore del pesco,

che siano amici il gatto e il cane,
che diano latte le fontane.

Se voglio troppo non darmi niente,
dammi una faccia allegra solamente.

Alla Befana: tre filastrocche

I.

Mi hanno detto, cara Befana,
che tu riempi la calza di lana,
che tutti i bimbi, se stanno buoni,
da te ricevono ricchi doni.
Io buono sempre sono stato
ma un dono mai me l'hai portato.

Anche quest'anno, nel calendario,
tu passi proprio in perfetto orario,
ma ho paura, poveretto,
che tu viaggi in treno diretto:
un treno che salta tante stazioni
dove ci son bimbi buoni.

Io questa lettera ti ho mandato
per farti prendere l'accelerato!

Oh cara Befana, prendi un trenino
che fermi a casa d'ogni bambino,
che fermi alle case dei poveretti
con tanti doni e tanti confetti.

II.

La Befana, cara vecchietta,
va all'antica, senza fretta.

Non prende mica l'aeroplano
per volare dal monte al piano,

si fida soltanto, la cara vecchina,
della sua scopa di saggina:

è cosí che poi succede
che la Befana... non si vede!

Ha fatto tardi fra i nuvoloni,
e molti restano senza doni!

Io quasi, nel mio buon cuore,
vorrei regalarle un micromotore,

perché arrivi dappertutto
col tempo bello o col tempo brutto...

Un po' di progresso e di velocità
per dare a tutti la felicità!

III.

Quant'è cara, quant'è buona
la Befana di Piazza Navona.
Sono piene di cose belle
le sue mille bancarelle,
gonfi di dolci e di biscotti
i suoi diecimila calzerotti.

Se allunghi la mano puoi toccare
tutti i giocattoli che ti pare,
quelli vecchi del tempo che fu
e quelli nuovi che piaccion di piú:
l'orso di pezza bonaccione
e l'aereoplano a reazione,
il treno elettrico e la trombetta,
il pellirossa e la bamboletta.
La Befana, siamo giusti,
sa stare alla moda e cambia i gusti.
Per fare i conti, difatti, si dice,
ha comperato la calcolatrice.

Carnevale

Viva i coriandoli di Carnevale,
bombe di carta che non fanno male!

Van per le strade in gaia compagnia
i guerrieri dell'allegria:
si sparano in faccia risate
scacciapensieri,
si fanno prigionieri
con le stelle filanti colorate.
Non servono infermieri
perché i feriti guariscono
con una caramella.
Guida l'assalto, a passo di tarantella,
il generale in capo Pulcinella.

Cessata la battaglia
tutti a nanna. Sul guanciale
spicca come una medaglia
un coriandolo di Carnevale.

Dopo la pioggia

Dopo la pioggia viene il sereno,
brilla in cielo l'arcobaleno:

è come un ponte imbandierato
e il sole vi passa, festeggiato.

È bello guardare a naso in su
le sue bandiere rosse e blu.

Però lo si vede – questo è il male –
soltanto dopo il temporale.

Non sarebbe piú conveniente
il temporale non farlo per niente?

Un arcobaleno senza tempesta,
questa sí che sarebbe una festa.

Sarebbe una festa per tutta la terra
fare la pace prima della guerra.

Filastrocca di primavera

Filastrocca di primavera
piú lungo è il giorno, piú dolce la sera.

Domani forse tra l'erbetta
spunterà la prima violetta.

O prima viola fresca e nuova
beato il primo che ti trova,

il tuo profumo gli dirà,
la primavera è giunta, è qua.

Gli altri signori non lo sanno
e ancora in inverno si crederanno:

magari persone di riguardo,
ma il loro calendario va in ritardo.

Stagioni

I.
Vien l'autunno dalla montagna
ed ha odor di castagna.
Vien l'inverno dai ghiacciai
e nel suo sacco non ha che guai.

II.
C'è ancora una lucertola sul muro,
c'è ancora un geranio sul balcone.
C'è ancora, ancora un po' di primavera:
ne resta sempre un poco tutt'inverno
e a chi la sa trovare
tanta gioia può dare.

Autunno

Il fieno è falciato
il cacciatore ha sparato,
l'autunno è inaugurato.
Il grillo si è murato
nella tomba in mezzo al prato.

Temporali

Un uccello d'argento è l'aeroplano,
vola piú su del vento,
piú su delle nuvole dove
c'è il sole anche quando piove.
Ai suoi piedi il pilota vede i fulmini
come serpi guizzare,
e le nubi come un mare in tempesta:
ma il cielo è azzurro e copre la sua testa.
Ride il pilota... come il babbo ride
quando piange il suo bimbo per capriccio,
e di lacrime fa
un piccolo temporale
che presto passerà.

La vendemmia

Alla vendemmia la brigata è bella:
chiamate anche Pulcinella.

Ha sempre tanta fame che un filare
gli basterà sí e no per cominciare:
«Un grappolo a me
un grappolo a te!
O cesto, dico a te!
Vedete? Non risponde non ne vuole.
Il cesto non sa che l'uva è sole,
mangiare sole è un dolce mangiare.
Un raggio a me,
un raggio ancora a me,
un terzo che fanno tre.
Il sole ne ha tanti
che neppure li conta:
piú ne regala piú è ricco,
c'è un raggio prigioniero
in ogni chicco nero».

Alla vendemmia bella è la canzone:
ma non chiamate Pantalone...

Sul tralcio il vecchio avaro
non lascerebbe un acino,
uno solo,
per il passero,
per l'usignolo
che canta gratis.

Pantalone sui grappoli
metterebbe dei cartelli:
«Vietato l'ingresso agli uccelli».

Alla vendemmia il sole diventa vino
chiamate Arlecchino
e dategli da bere
un po' di sole in un bicchiere.

Il mago di Natale

S'io fossi il mago di Natale
farei spuntare un albero di Natale
in ogni casa, in ogni appartamento
dalle piastrelle del pavimento,
ma non l'alberello finto,
di plastica, dipinto
che vendono adesso all'upim:
un vero abete, un pino di montagna,
con un po' di vento vero
impigliato tra i rami,
che mandi profumo di resina
in tutte le camere,
e sui rami i magici frutti:
regali per tutti.

Poi con la mia bacchetta me ne andrei
a far magie
per tutte le vie.

In via Nazionale
farei crescere un albero di Natale

carico di bambole
d'ogni qualità,
che chiudono gli occhi
e chiamano papà,
camminano da sole,
ballano il *rock an'roll*
e fanno le capriole.

Chi le vuole, le prende:
gratis, s'intende.

In piazza San Cosimato
faccio crescere l'albero
del cioccolato;
in via del Tritone
l'albero del panettone;
in viale Buozzi
l'albero dei maritozzi,
e in largo di Santa Susanna
quello dei maritozzi con la panna.

Continuiamo la passeggiata?
La magia è appena cominciata:
dobbiamo scegliere il posto
all'albero dei trenini:
va bene piazza Mazzini?

Quello degli aeroplani
lo faccio in via dei Campani.

Ogni strada avrà un albero speciale
e il giorno di Natale
i bimbi faranno
il giro di Roma
a prendersi quel che vorranno.

Per ogni giocattolo
colto dal suo ramo
ne spunterà un altro
dello stesso modello
o anche piú bello.

Per i grandi, invece, ci sarà,
magari in via Condotti,
l'albero delle scarpe e dei cappotti.

Tutto questo farei se fossi un mago.

Però non lo sono
che posso fare?

Non ho che auguri da regalare:
di auguri ne ho tanti,
scegliete quelli che volete,
prendeteli tutti quanti.

Il pellerossa nel presepe

Il pellerossa con le piume in testa
e con l'ascia di guerra in pugno stretta,
come è finito tra le statuine
del presepe, pastori e pecorine,
e l'asinello, e i maghi sul cammello,
e le stelle ben disposte,
e la vecchina delle caldarroste?
Non è il tuo posto, via, Toro seduto:
torna presto di dove sei venuto.
Ma l'indiano non sente. O fa l'indiano.
Ce lo lasciamo, dite, fa lo stesso?
O darà noia agli angeli di gesso?
Forse è venuto fin qua,
ha fatto tanto viaggio,
perché ha sentito il messaggio:
pace agli uomini di buona volontà.

La preghiera di un passero che vuol fare il nido sull'albero di Natale

Apritemi, per favore,
la finestra del salotto:
sono un povero passerotto
che ha freddo fino al cuore...

Vi ho visti che piantavate
in un angolo del tinello
quel meraviglioso alberello
dalle foglie incantate:

ogni ramo si curva al peso
di un frutto sconosciuto,
e su ogni ramo ho veduto
una stella col lume acceso.

Vi spiavo dal davanzale,
piuma a piuma intirizzito:
ma adesso l'avete finito,
l'albero di Natale.

Adesso tutto è a posto:
fatemi dunque entrare,

il mio nido potrei fare
sul ramo piú nascosto.

Non vi darei tanta noia,
sono un passero perbenino.
E per il vostro bambino
pensate domani che gioia

trovare tra i doni, dietro
una mezzaluna di latta,
fra la neve d'ovatta
e la rugiada di vetro,

trovare un passero vero,
con un cuore vero nel petto,
che guarda dal suo nidietto
con il vivo occhio nero,

una viva creatura
che vuol essere scaldata,
che ha bisogno d'essere amata,
che ha freddo, fame, paura...

I bambini sono tutti buoni,
e andremo d'accordo, perché
chiedo cosí poco per me
di tutti i loro doni:

un cantuccio di torrone
per appuntirci il becco,

il biscotto piú secco,
la crosta del panettone...

Che tenero frullo d'ale
in cambio vi posso dare!
Lasciatemi volare
sull'albero di Natale.

Viaggi e incontri

Mago Bireno

– Non mettetevi nei pericoli e tornate presto!

– Sí, mamma, non dubitare.

Paolo e Graziella erano già fuori del cancelletto e correvano verso il bosco. Correvano e lanciavano urli selvaggi, per dimenticare la piccola bugia con cui avevano cominciato la giornata. Avevano detto alla mamma che sarebbero andati per more, non piú in là del mulino; non le avevano rivelato la loro vera intenzione, che era di esplorare a fondo la grotta.

Ci pensavano da tre giorni, da quando una mattina, vagando sulla collina dietro il mulino, ne avevano scoperto l'ingresso, seminascosto da un cespuglio di lamponi. Paolo avrebbe voluto entrarci subito, ma Graziella si era messa a piagnucolare per la paura.

– Chissà come sarà buio. Chissà che bestiacce ci staranno.

– Va bene, – aveva deciso Paolo, – torneremo con la pila. Però te lo dico prima: se hai paura stattene a casa, ci verrò da solo.

Un'ondata di grossi temporali li aveva costretti a rinviare l'esplorazione. Ma ora che il sole era tornato, ora che Paolo aveva nascosto la pila nel cestello destinato alle more, anche Graziella pensava che forse non sarebbe stato cosí terribile entrare nella grotta misteriosa.

«E se proprio mi verrà da piangere, – pensò, – stringerò la mano di Paolo e chiuderò gli occhi».

Dopo il mulino bisognava abbandonare la strada che attraversava il bosco e prendere il sentiero della collina. Paolo, che precedeva la sorella, si fermò a raccattare un grosso bastone, che gli serví ad abbattere le ortiche che crescevano all'ingresso della grotta. Paolo notò subito che in qualche punto le ortiche erano calpestate, ma non disse nulla per non allarmare la sorella.

«Saranno venuti altri ragazzi», immaginò fra sé.

Accese la lampadina tascabile, prese la mano che Graziella gli tendeva con un gesto implorante, ed entrò.

La grotta, alla luce della pila, si rivelò stretta e piuttosto bassa. Dopo pochi passi il camminamento piegava a sinistra e quasi subito si allargava a formare un vero e proprio vano, appena piú piccolo di una stanza. Paolo sentí che Graziella si irrigidiva e che la stretta della sua mano si faceva convulsa. Fece ruotare rapidamente il cono di luce e vide anche lui: in un angolo della grotta, seduto con le spalle al muro, stava uno strano vecchio, avvolto in un mantello nero. Ma la cosa piú strana e terribile era il suo cappello: un cono nero, trapunto di stelle d'argento...

– Cosa volete? – disse il vecchio con voce profonda, rimanendo immobile nel suo angolo.

– Noi... ecco... – balbettò Paolo, – ...ci scusi tanto, signore...

– Bambini, – disse il vecchio. – Meglio cosí. Sedetevi.

– Grazie, – rispose Paolo, inghiottendo saliva, – veramente... la mamma ci aspetta...

– Sedetevi e fatemi un po' di compagnia. Non vi mangio mica.

Paolo e Graziella si accoccolarono dove si trovavano, senza fare un passo avanti. Il vecchio ebbe un breve sorriso. Ma subito riprese la sua aria triste.

– Lei abita qui? – domandò Paolo, solo per dir qualcosa. Intanto aveva preso entrambe le mani di Graziella tra le sue, per farle coraggio.

– In un certo senso abito qui, – rispose il

vecchio. – Ma sarebbe meglio dire che non abito in nessun posto. Non mi avete ancora riconosciuto? Su, guardatemi meglio.

– È vestito come un mago, – bisbigliò Graziella, nell'orecchio di Paolo. Ma il vecchio la udí lo stesso.

– Un mago, sicuro, – disse scuotendo lentamente il capo. – Un povero mago di una volta. Vi posso anche dire il mio nome: una volta esso faceva paura, adesso può darsi che vi faccia ridere. Mi chiamavano Mago Bireno.

– Ah, ecco, – disse Graziella, – allora è proprio un mago.

– Un mago, un mago. E sapete quanti anni ho?

– Ne avrà come il nostro nonno, credo: una settantina, – disse Paolo.

– Ne avevo giusto settantadue quando sono morto per la prima volta.

– Morto? – gridò Graziella, ricominciando a tremare.

– Allora lei è un fantasma? – domandò Paolo, in cui la curiosità vinceva la paura.

– No, no. Adesso vi spiego. Sono morto cinquemila anni fa, ma sono condannato a rinascere ogni mille anni per qualche giorno, fin che mi capita di fare qualche magia, dopo di che me ne posso tornare a riposare. Stavolta, però, non so come andranno le cose. Ho una gran paura che mi toccherà restare sulla terra per chissà quanto tempo, vecchio come sono, senza famiglia, senza nessuno, senza un soldo.

– Un mago come lei! Ma come può essere?

– Giudicate voi stessi. Sono tornato in vita una settimana fa, dalle parti di Benevento. Per prima cosa sono stato arrestato e messo in prigione, perché il mio costume «turbava l'ordine pubblico». Pensavano che mi fossi mascherato. E non era Carnevale... Be', dalla prigione naturalmente sono uscito con facilità. Ho trasformato le sbarre di ferro in grissini, e me li sono mangiati.

– Ma allora una magia l'ha già fatta!

– Già, ma soltanto per mio vantaggio. La magia dev'essere un regalo fatto ad altri, mi spiego? Cosa può regalare, un povero mago, a un uomo del giorno d'oggi? Potrei dargli un tappeto volante, ma lui mi direbbe che l'aeroplano è piú comodo e piú veloce. Io ho una boccia di cristallo per vedere a distanza; ma voi avete la televisione, e della mia boccia non sapete che farvene. Una volta solo i maghi potevano sentire quel che veniva detto dall'altra parte del mondo: ma voi, adesso, avete la radio e il telefono! Avete fabbriche dove trasformate il vetro in tessuto: fate piú magie voi con la chimica che tutti i maghi di una volta con le loro bacchette magiche. In conclusione, sono una persona assolutamente inutile.

– Poveretto, – mormorò Graziella, che ascoltando il racconto del mago era passata dalla paura alla compassione.

Bireno sospirò e riprese a parlare. Chi lo fermava piú? Era stato zitto mille anni, dall'ultima volta, e aveva bisogno di sfogarsi. Le ore passavano, e i due fratelli non si stancavano di ascoltarlo.

A un tratto Paolo gridò, come se l'avesse punto una vespa: – O poveri noi! È mezzogiorno, e non abbiamo colto nemmeno una mora. Chissà come ci sgriderà la mamma!

– O poveri noi, – gli fece eco Graziella. Ma poi balzò in piedi, eccitata, ed esclamò. – Signor mago, ecco l'occasione che cercava! Faccia una piccola magia per noi...

Mago Bireno guardò incredulo il cestello vuoto che la bimba gli tendeva. Poi sorrise, lo toccò quasi distrattamente con una lunga bacchetta che gli era comparsa tra le mani chissà da dove e il cestello si riempí di more grosse e profumate.

– Che bellezza! Grazie, caro Mago Bireno. Lei è un tesoro.

Il vecchio mago scosse il capo.

– Eh, ci vuol altro perché io possa tornare a riposare...

Si alzò, li accompagnò fin sulla soglia della grotta e li salutò con quella sua aria affettuosa e triste.

– Tornate a trovarmi, – disse mentre i bambini correvano via.

Ci tornarono quasi ogni giorno, per tutta la durata della villeggiatura, ma il vecchio Mago non si fece piú rivedere. E poi, chissà se l'avevano visto davvero o avevano fantasticato, mentre coglievano more intorno alla grotta misteriosa?

Pacchetto va al mare

Una volta Motti, che era il ladro piú intelligente della città, secondo l'opinione dell'ispettore Geronimo, andò a trovare Pacchetto e gli disse: – Secondo me, tu avresti bisogno di passare un mesetto al mare.

– Per carità, – rispose Pacchetto, che al volo non capiva mai nulla, – con i miei reumatismi...

– Ti dico che andrai al mare. Ho già prenotato una stanza per te per tutto il mese di agosto alla Pensione Azzurra, sulla spiaggia di X.

– Motti, tu vuoi la mia rovina! Io debbo andare a far la cura dei fanghi.

Motti, senza perdere la calma, espose al collega il suo progetto. Con Pacchetto bisognava aver pazienza: il suo cervello camminava sempre a piccola velocità, come certi treni merci che portano ghiaia e si addormentano a tutte le stazioni. L'ispettore Geronimo lo diceva sempre all'agente De Dominicis: – Motti si tiene Pacchetto come tu terresti un gatto, per pura affezione. Sa che è stupido, ma ha bisogno di sentirselo attorno.

Fu cosí che Pacchetto partí per il mare e si presentò alla Pensione Azzurra con la sua bella valigia nuova, con una carta d'identità che lo dichiarava «benestante» e una radiolina al collo.

– Guardi, – gli disse la padrona della pensione, con un'occhiata severa, – che abbiamo la campagna del silenzio. Niente radioline sulla spiaggia e niente radioline in pensione dalle quattordici alle diciotto e dalle ventidue in poi.

– Questa? – sorrise Pacchetto, toccando la radiolina. – La porto piú che altro per bellezza. Mi fa compagnia, ecco. Ma non l'accendo mai, la musica mi dà fastidio.

– Bravo, – approvò la padrona della Pensione Azzurra.

A cento chilometri di distanza, comodamente sdraiato su un divano in camera sua, Motti sorrise a quel «bravo». Lui sí che era stato «bravo» a ideare la radio trasmittente che Pacchetto portava al collo e che pareva un comune «transistor» di quelli con cui i patiti di calcio, la domenica, ascoltano la partita. Accanto a Motti, su un tavolino, stava la radiolina ricevente, un gioiello di ingegneria e di eleganza.

Prima di sera Pacchetto, con la sua aria cordiale e un po' sciocca, era già riuscito a far conoscenza con tutti i clienti della Pensione Azzurra. E Motti, ascoltando a distanza le sue conversazioni con un blocchetto d'appunti alla mano, si era già fatto un elenco di nomi:

– *La signora Borello*... Ah, sí, dev'essere la moglie di quell'industriale delle ceramiche. *La signora Bortini*: già, quel negozio di calzature al Corso. *La signora Meloncelli*... Chi sarà mai? Ci sono! La moglie di quel famoso avvocato...

Il giorno dopo Pacchetto si recò sulla spiaggia, con la radiolina a tracolla. Qualcuno, sulle prime, lo guardò di traverso: ma ben presto tutti compresero che Pacchetto non aveva la minima intenzione di infrangere la legge del silenzio. Il simpatico signore benestante fece molte conoscenze, scherzò con i bambini, fece complimenti alle signore, vagò da un ombrellone all'altro come un calabrone. Motti ascoltò tutte le conversazioni che gli giungevano attraverso la radiolina e prese appunti. Cosí fece nei due giorni seguenti. Il terzo giorno era sabato e Motti, senza aver abbandonato la città, senza nemmeno essere uscito dalla sua stanza, sapeva ormai che quella sera l'avvocato Meloncelli, il gioielliere Tansillo e il pellicciaio Conforti si sarebbero recati al mare per visitare le rispettive famiglie in villeggiatura. Alcuni tra gli appartamenti piú ricchi della città e non pochi negozi appetitosi sarebbero rimasti, la notte del sabato e tutta la domenica, assolutamente deserti ed abbandonati.

Motti chiuse la radio e si mise al lavoro.

Il lunedí diversi rispettabili cittadini ebbero l'amara sorpresa di scoprire che, in loro assenza, «i soliti ignoti» avevano svaligiato i loro appartamenti e negozi, portando via gli oggetti di maggior valore. Quanto a questo, Motti era scrupoloso: un candelabro di falso argento non lo avrebbe mai toccato nemmeno con i guanti.

Per tre settimane il sistema funzionò alla perfezione. Pacchetto, al mare, era diventato popolarissimo, conosceva tutti, tutti lo conoscevano e facevano a gara a dargli utili informazioni. Motti, sempre incollato alla radiolina, per sei giorni prendeva appunti: il settimo lavorava.

– De Dominicis, – esclamò un lunedí mattina l'ispettore Geronimo, – non le sembra strano che i ladri visitino sempre e soltanto gli appartamenti dei nostri buoni cittadini che hanno la famiglia sulla spiaggia

di X? Guardi, osservi queste pratiche... L'avvocato Meloncelli era andato a far visita alla signora *alla Pensione Azzurra*... Il gioielliere Tansillo *idem*... L'industriale Tibiletto, *lo stesso*... Le andrebbe di fare una passeggiatina al mare?

L'agente De Dominicis non se lo fece dire due volte. Corse a X, trovò per miracolo una camera alla Pensione Verderame, fece una capatina alla spiaggia e vide Pacchetto.

«Pacchetto? – pensò. – Allora Motti ci cova. Ma non facciamoci vedere, altrimenti quello si mette in allarme».

Indagò discretamente, seppe che Pacchetto alloggiava alla Pensione Azzurra, si informò sulle telefonate interurbane ed ebbe una prima sorpresa: da quando stava al mare Pacchetto non aveva mai telefonato in città. Possibile che si servisse della posta, per trasmettere a Motti le sue informazioni?

– Non è possibile, – gli disse quella sera, al telefono, l'ispettore Geronimo, dopo aver ascoltato il suo rapporto, – Pacchetto è semianalfabeta.

– Allora non c'entra. E non c'entra nemmeno Motti.

– Lo tenga d'occhio lo stesso. A Motti ci penserò io.

Venne il sabato. Quel pomeriggio la radio doveva trasmettere in diretta la partita di calcio tra l'Italia e la Polonia. De Dominicis, dopo aver ben riflettuto, decise che avrebbe dedicato un intervallo delle sue indagini ad ascoltare la radiocronaca, in un caffè sul Lungomare. Fece un po' tardi, però, e quando entrò nel caffè una folla densa e accaldata lo divideva dall'apparecchio radio. Ma chi c'era, là in primissima fila, con l'orecchio incollato all'altoparlante? Pacchetto in persona, con l'espressione sofferente del tifoso in angustie.

«Strano, – pensò De Dominicis, – se avessi io quella bella radiolina di Pacchetto, non starei qua dentro a sudare per sentire la partita: me ne andrei in pineta, al fresco e...»

Qualcosa, a questo punto, scattò nel cervello dell'agente De Dominicis. Egli attese la fine della partita, accostò Pacchetto, che lo salutò sorridendo, e gli domandò:

– La sua radiolina è rotta?

– È proprio rotta, – sospirò Pacchetto, – deve avere la batteria scarica.

– Me la fa vedere? Io me ne intendo, di radio.

E se ne intendeva davvero, il buon De Dominicis. Non fece nessuna fatica a riconoscere una radiotrasmittente e per quanto Pacchetto protestasse... lo impacchettò e lo portò in città.

– Peccato, – disse all'ispettore Geronimo,

consegnandogli i prigionieri, – che non ci siano prove. Con questa radiolina Pacchetto avrebbe potuto mantenersi in contatto con Motti.

– Le prove ci sono, – sorrise l'ispettore. E spingendo la levetta azionò il magnetofono che teneva sulla scrivania. Si sentí la voce di Pacchetto che scambiava complimenti con la signora Fogliani, moglie del noto milionario.

– Abbiamo aspettato che Motti uscisse per comprarsi la cena, – spiegò l'ispettore, – e gli abbiamo nascosto un registratore sotto il divano. Motti è ingegnoso, aveva tanto raccomandato a Pacchetto di tenere la radiolina in tasca. Ma Pacchetto ha voluto fare l'elegantone. Quando lei mi ha telefonato che girava sempre con una radiolina spenta al collo, ho immaginato la soluzione. E ho fatto centro.

Marco e Mirko e il ladro sfortunato

Marco e Mirko sono due gemelli. Marco è alto un metro e venti, Mirko, invece, centoventi centimetri. Mirko ha gli occhi celesti, Marco, invece, pure. Insomma, sono due gemelli e perciò sono uguali in tutto e per tutto: peso e statura, naso e pettinatura, calzoni, maglioni, scarpe e calzini. Abitano a Milano, dalle parti di Porta Magenta, ma sarebbero uguali anche se abitassero dalle parti di Porta Vittoria o di Lambrate.

Per distinguerli bisogna fare bene attenzione al martello: Marco porta sempre con sé un martello dal manico bianco, Mirko un martello dal manico nero.

Il padre di Marco e Mirko non vede di buon occhio quei martelli. Perciò esce di casa la mattina presto e torna la sera tardi. Tutto il giorno sta nel suo negozio di elettrodomestici e spera che i martelli non creino complicazioni.

La signora Emenda, madre di Marco e

Mirko, vende cappellini per signora. Di quando in quando essa telefona a casa per parlare del piú e del meno con i suoi bambini. Ma generalmente essa parla loro dei martelli.

– Pronto. State buoni?

– Buonissimi, mamma.

– Avete il martello?

– Certo mamma.

– Ricordatevi che avete giurato di usarlo solo per legittima difesa.

– Difesa, mamma.

– Non prendete piú i bicchieri a martellate per vedere se sono infrangibili.

– No, di sicuro, mamma: ormai sappiamo che sono una truffa.

– È tornata la Margot?

– Non ancora, mamma. Però ti promettiamo che quando torna non le diciamo che c'è Dracula nella sua stanza, per farle paura.

Margot è la domestica. Si chiamerebbe Margherita, ma preferisce essere chiamata Margot perché ha una zia in Francia. Preferisce anche essere chiamata governante anziché domestica. Oggi è il suo pomeriggio di libertà. Sarà andata al cinema con il signor Osvaldo, un giovane studente che ha anche lui una zia in Francia, e perciò ha fatto amicizia con Margot.

Marco e Mirko sono soli in casa, guardano

la televisione. Di quando in quando uno di loro – una volta Mirko, una volta Marco – lancia il suo martello contro il teleschermo. Il martello volteggia abilmente nell'aria, schiva ogni ostacolo e torna nelle mani del lanciatore. Non è dunque un semplice martello, ma un martello-boomerang e, in un certo senso, un martello ammaestrato. C'è chi ammaestra cani, gatti, elefanti, pulci: Marco e Mirko hanno ammaestrato i loro martelli, con pazienza e con bravura.

Suona il campanello. Marco e Mirko corrono alla porta, assetati di novità.

– Buongiorno, sono l'operaio del gas. Siete soli in casa?

Marco osserva il giovanotto in tuta con occhio critico.

– Se siamo soli o no, non sono fatti suoi. Però lei non è l'operaio del gas.

– Lei è il solito ladruncolo che finge di essere l'operaio del gas, – sghignazza Mirko, – per svaligiare appartamenti.

– Ma senti che discorsi, – protesta il giovanotto, entrando e richiudendosi accuratamente la porta alle spalle, – mostratemi piuttosto la cucina.

Marco e Mirko lo accompagnano in cucina, sospirando. Il giovanotto armeggia intorno ai fornelli, stacca il tubo, lo riattacca, apre e chiude un interruttore. Intanto si guarda in giro, tende l'orecchio, per accertarsi che in casa non ci siano adulti. Quando è sicuro del fatto suo, tira fuori la rivoltella e dice sorridendo ai gemelli:

– Bene, tutto a posto. Entrate lí nel ripostiglio delle scope, non vi farò niente.

Marco e Mirko si scambiano un'occhiata che sembra una parola d'ordine. – Nel ripostiglio delle scope ci andrà lei, – dice Marco al giovanotto.

Mirko passa all'azione. Con un gesto rapidissimo (si è allenato tante volte) scaglia il martello. Il ladro, colpito alla mano, lascia cadere la rivoltella e si mette a ballare per il dolore.

– Esperimento interessante, – osserva Marco.

– Certo, – ribatte Mirko, intascando il martello di ritorno, – esso dimostra che una martellata sulle dita fa venir voglia di ballare.

Il giovanotto allunga le mani, deciso ad acchiappare i due gemelli per il collo, onde far picchiare una testa contro l'altra. Ma ha fatto i conti senza il martello di Marco, che gli vola su un piede a velocità supersonica.

– Acci... – strilla il giovanotto.

– Vedi, – dice Marco al fratello, – una martellata sui piedi fa diventare maleducati.

– Basta, mi arrendo, – sospira il ladro.

– Telefonate pure ai carabinieri. Quelli almeno non adoperano il martello.

Marco e Mirko lo guardano con compatimento.

– Ma lo sa che lei cambia idea un po' troppo spesso? Prima vuole aggiustare il gas, poi vuole chiuderci nel ripostiglio delle scope, un minuto dopo le scappa di telefonare.

– Sia un po' piú coerente, giovanotto. È venuto qui per rubare? Dunque, rubi.

Il ladro li guarda con le lacrime agli occhi.

– Non voglio rubare niente. Voglio andare in prigione.

Marco gli mostra il martello col manico bianco, Mirko il martello col manico nero.

– Poche storie. Prenda il sacco e venga con noi.

– Quale sacco? – protesta il giovanotto. Ma intanto cava il sacco da un tascone della tuta. Forse perché Mirko ha fatto fare al martello un giro della stanza, con aria indifferente.

– Vengo, vengo. Cosa volete da me?

Lo accompagnano in salotto.

– Ecco, guardi questo magnifico soprammobile. Rappresenta una pastorella dall'aria un po' scema. È stato regalato a mamma da una signora di pessimo gusto. Mamma non lo può vedere, papà nemmeno. A lei, lo rubi.

Il ladro è costretto a rubare il soprammobile di pessimo gusto.

Marco e Mirko gli indicano successivamente un quadro appeso sopra il buffet.

– Osservi questa crosta. È intitolata «paesaggio marino» ma vale meno di un osso di seppia. È stata regalata al babbo da un cliente di riguardo, e bisogna tenerla lí perché guai se il cliente, quando viene a cena, non la vedesse al suo posto. La stacchi dalla cornice e la metta nel sacco.

– Ma è il piú brutto quadro che io abbia mai visto! – piagnucola il ladro.

Il martello di Marco fa il giro del quadro. Il ladro passa all'esecuzione dell'ordine ricevuto.

In pochi minuti Marco e Mirko ripuliscono l'appartamento da tutti gli oggetti che papà e mamma, ogni tanto, si propongono di regalare alla portiera, ma poi si rassegnano a tenerli, questo perché è un regalo della zia Clotilde, quello perché è un ricordo del prozio Vincenzo, quell'altro perché è un dono di nozze del commendator Brambilla.

Il sacco del ladro è quasi pieno quando Marco e Mirko vi versano i contenuti delle loro cartelle.

– Cosa me ne faccio dei libri di scuola? – singhiozza il ladro. – E poi, non ci guadagnate mica niente a farveli rubare: i vostri genitori ve li ricompreranno.

– Ci vorrà sempre qualche giorno, – precisa Marco.

– Una piccola vacanza sarà il nostro premio per la buona azione, – aggiunge Mirko.

Il ladro insiste nel suo atteggiamento di non collaborazione, ma i martelli di Marco e Mirko girano piú volte intorno alla sua chioma spettinata.

– D'accordo, d'accordo, – dice finalmente. – Posso andare, adesso?

Marco e Mirko riflettono. Non capita tutti i giorni un ladro tanto servizievole. Bisogna approfittarne.

– Ci sarebbe, – dice Marco, – quel cappellino di Margot. Sta tanto male, quando se lo mette. Chissà perché lei lo preferisce a quello che le ha regalato la mamma.

Mirko va a prendere il cappellino di Margot. Il ladro è sul punto di svenire per l'orrore, ma insacca.

– Posso andare? Avvertite voi la portiera che sono un robivecchi e non un ladro d'appartamenti?

I due gemelli lo accompagnano alla porta gentilmente.

– Le siamo molto grati, – dice Marco, – torni presto a farci visita.

– Tra un paio d'anni, – suggerisce Mirko.

– Ci vogliono almeno due anni per riempire una casa di cianfrusaglie.

La porta si apre da sola. Entra un signore con espressione molto, molto interrogativa.

– Ciao, Augusto, – gridano entusiasticamente Marco e Mirko.

È cosí che essi salutano il loro papà, nei momenti solenni.

– Questo signore? – domanda il signor Augusto.

– Un nostro amico, papà, – risponde genericamente Marco.

– Un tipo scherzoso, – approva Mirko, – fingeva di essere un operaio del gas, ma noi lo abbiamo riconosciuto.

– E che cosa porta in quel sacco?

– Niente, niente. Bazzecole, bagatelle.

– Tutta roba che mi hanno dato loro, – esclama il ladro, – io non c'entro. Io volevo che telefonassero ai carabinieri.

Il signor Augusto dà un'occhiata ai martelli che vibrano nelle tasche di Marco e Mirko, si rende conto che non tutti i ladri sono fortunati.

– Be', faccia vedere. Posi qua il sacco un momento. Ah, i libri di scuola.

Il signor Augusto toglie delicatamente dal sacco i libri di scuola e li porge ai due gemelli che li ricevono con un disciplinato sospiro.

– Pensavamo, – sussurra Marco, – che a

questo giovane sarebbe tanto piaciuto fare qualche esercizio di grammatica.

– L'istruzione, – sentenzia Mirko, – è la principale medicina contro la delinquenza.

Il signor Augusto non fa commenti. Guarda nel sacco, spostando gli oggetti, appena ne ritoglie qualcuno per riconoscerlo si affretta a rimetterlo dentro. Il signor Augusto è una persona intelligente. Ha già capito con quale criterio i suoi figli hanno messo insieme la refurtiva.

– Hm... – fa, – hm... Aspettate un momento.

– Faccia come se fosse a casa sua, – dice il ladro.

Di lí a poco il signor Augusto torna con due cravatte, una per mano. Sono due cravatte gemelle, uguali in tutto e per tutto, ma sono tanto brutte che sembrano una piú brutta dell'altra.

– È stato al mio ultimo compleanno, – confida il signor Augusto. – Una me l'ha regalata la mamma, un'altra la nonna. Chissà come, hanno avuto la stessa idea. Ma io, piuttosto di portare una cravatta cosí passo al maglione giro-collo, divento un capellone, vado attorno in pigiama.

Il ladro insorge:

– Non è giusto! Gli amici mi prenderanno in giro.

– Lei non ha bisogno di portarle, – gli spiega il signor Augusto, – lei deve portare solo quelle che le regala sua moglie.

– Non sono sposato!

– Meglio ancora. Con queste due cravatte lei fa un bel pacchettino e la prima volta che va in treno a Piacenza, quando arriva sul ponte, lo lascia cadere nel Po.

Il ladro medita. Un'idea sembra farsi strada sotto i suoi capelli.

– Sí, – esclama, – andrò a Piacenza, forse andrò fino a Bologna. Non posso vivere nella stessa città in cui un povero ladro va soggetto a tante mortificazioni.

– Bravo, cambi aria.

– Perché non cambia mestiere? – domanda Marco.

– Ma certo, – incalza Mirko, – perché non impara a lanciare il martello? Potrebbe esibirsi in un circo equestre.

Per dare maggior peso alla loro proposta, Marco e Mirko lanciano contemporaneamente i loro martelli intorno al lampadario dell'anticamera. Il ladro raccatta il suo sacco e si avvia tristemente giú per le scale. Il signor Augusto va in bagno a leggere il giornale. Il signor Augusto trova che il bagno è il posto piú tranquillo della casa.

Il ragioniere-pesce del Cusio

La scorsa estate, trovandomi a Pettenasco per prendere parte ad una festa popolare e dovendo far passare qualche ora, mi spinsi fino al piccolo molo, o imbarcadero dove, secondo le mie intenzioni, avrei potuto raccogliere qualche impressione o notizia utile per dare una connotazione realistica a uno o piú particolari di una storia che stavo allora immaginando, e che ho poi effettivamente scritta e mandata all'editore. La storia si svolgeva, si svolge, e potrei dire che si svolgerà fino a quando qualcuno la leggerà o ascolterà, sull'isola di San Giulio. Cercavo allora dei punti di vista (l'espressione va presa alla lettera) sull'isola, su Orta, sul lago tutto, le cui rive potei riconoscere ed esplorare chilometro per chilometro grazie alla cortesia di alcuni amici e all'efficienza delle loro automobili. Ebbi molti contatti. Perfino con i frati di Monte Mesma, ai quali comunque non confessai i miei loschi fini di autore in cerca di paesaggi, destinati magari a figurare nel libro solo in una parentesi. Non c'è nulla di piú arbitrario dei procedimenti della fantasia. Con lei bisogna avere una gran pazienza, immagazzinare dati, informazioni, materia prima e non irritarsi dell'uso che ne fa, assolutamente a capriccio.

Eccomi dunque sull'imbarcadero di Pettenasco, travestito da turista che si gode il fresco della mattina sfogliando i giornali. Fingo di leggere, non si sa mai, potrebbero scambiarmi per una spia. È vero che a Pettenasco ci sono stato a balia, molti decenni or sono, ma di questo fatto non porto con me documenti, il nome della balia l'ho dimenticato, che cosa potrei rispondere se un gendarme mi chiedesse all'improvviso che ci faccio a quell'ora, in quel luogo, e perché non mi trovo invece a Milano, Roma, Singapore o Hong Kong?

Le montagne, sulla sponda opposta, stanno uscendo una dopo l'altra da una nebbia azzurrina, disponendosi nello spazio loro assegnato dalla regia e dallo scenografo. Dietro tutte le montagne, invisibile, a tirare i fili, immagino che ci sia il Monte Rosa, ma da questo punto non posso vederlo. Nella storia lo vedrò dai boschi di Ameno. Anzi, lo farò contemplare da un giornalista inglese. Perché inglese? Perché quelli giapponesi li ho mandati in cima al Mottarone e all'Alpe Quaggione e quelli messicani sulla torre di Buccione. Ma non voglio divagare. Anche perché dall'acqua calma del lago sta emergendo, sotto le vecchie tavole dell'imbarcadero, un nuotatore grondante, inghirlandato di alghe, con il vuoto di un pacchetto di sigarette sulla spalla destra. Egli si libera del vuoto (che del resto è «a perdere»), si scosta le alghe dagli occhi e mi saluta con un sorriso.

– Buongiorno, – dice agitando una mano (l'altra si aggrappa al pilone dell'imbarcadero).

– Buongiorno, – rispondo, caricando le tre sillabe di tutta la mia diffidenza. Spero che egli interpreti il saluto nel suo giusto significato di: «Che cosa vuole da me? Mi lasci in pace. Mi sto occupando di cose troppo serie per dare retta ai suoi spassi sportivi. Si rivolga a qualche altro ascoltatore di buona bocca».

Ma il nuotatore non sembra prender nota dell'invito a farsi i fatti suoi. Lo vedo che si arrampica agilmente sul ponte, scavalcando il parapetto per lasciarsi cadere sulle assi, che rimbombano e traballano. Non posso fare a meno di registrare le pinne che porta ai piedi.

«Subacqueo a metà», rifletto a una prima

occhiata, «pinne ai piedi, ma niente maschera, niente respiratore. Tipico caso di nuotatore pigro, che non vuole faticare troppo con le braccia».

– Permette? – egli torna alla carica. – Ragionier Polaroli, di Omegna.

Sono costretto a rispondere, assolutamente controvoglia, che la cosa mi fa piacere. Ma quale «cosa»? Che un ragioniere ami il nuoto? Che sia cittadino di Omegna?

– Sono uscito a riprendere il fiato, – egli riprende, senza tener conto degli interrogativi che mi agitano, e che d'altronde non gli sono stati comunicati.

– Giusto, – dico, tanto per dire. Intanto, però, osservandolo meglio, trovo che le sue pinne hanno qualcosa... presentano una...

– Vede, – continua il nuotatore, senza darmi tempo di completare le mie osservazioni, – non ho molta libertà, lavoro in una ditta di elettrodomestici, posso entrare in acqua la domenica, gli altri giorni solo di mattina presto o la sera tardi.

– Capisco.

– Per uno che lavori, non è agevole allenarsi sistematicamente.

– Certo, certo.

– Qualche risultato, tuttavia, l'ho già ottenuto, sia pure a prezzo di enormi fatiche, sfruttando le rare giornate di permesso e qualche volta, non mi vergogno di dirlo, prendendo una o due settimane di malattia e contribuendo con ciò a incrementare le statistiche sull'assenteismo. Quanto crede mi siano costate, queste?

«Queste», sono le pinne. Al di là di ogni dubbio sono le pinne che egli mi sta mostrando, con un orgoglio di cui un minuto fa mi sarebbe stato difficile intendere la ragione. Cos'hanno poi di straordinario quelle pinne? Eh, hanno, hanno... Anzi, sono... Ecco, non sono normali pinne di gomma ma, per quanto strano possa sembrare, pinne naturali. Esse spuntano direttamente dalla carne, continuandone l'estensione nello spazio, mutandone l'abituale conformazione anatomica. Fanno parte integrante del corpo del ragioniere, come le sue orecchie.

– Fantastico, – mormoro a mezza voce.

– Trova? In fondo, poi, non si tratta nemmeno di pinne...

– No? E che cosa sono?

– Be', diciamo che esse rappresentano la coda. Le pinne vere e proprie, quelle dorsali, dovrebbero spuntarmi qui.

«Qui» indica le scapole. Il nuotatore pretende che gliele esamini, mentre mi chiede, con visibile ansia: – Si vede nulla, ancora?

Anzi, qualcosa si vede. Dalla pelle che racchiude le scapole con le altre parti dello scheletro stanno spuntando, ma appena appena rilevate... spuntano delle...

– Ecco, lí debbono spuntare le pinne. In altri sei mesi di allenamento spero di riuscire a farmele crescere.

– Capisco, – dico, senza piú riuscire a nascondere la mia curiosità, – lei si sta allenando per...

– Per diventare un pesce, sissignore.

Il ragionier Polaroli, di Omegna, mi guarda dritto negli occhi, pronto a reagire alla minima traccia di incredulità o di ironia. Ma io sono stato in Cina. Ho imparato (non dirò alla perfezione) l'arte tutta cinese di controllare dal di dentro i muscoli della faccia, perché non si affrettino ad esprimere ciò che è piú prudente nascondere, per prender tempo, o per cautela o per cortesia. Spero proprio che il ragioniere, in questo momento, non riesca a leggermi in faccia assolutamente nulla di quel che penso. Cerco di cancellare dal cervello anche la minima impronta della parola «pazzia» che egli potrebbe scoprirvi, nel caso avesse doti telepatiche, come può pur capitare a chiunque.

– Che genere di pesce? – domando freddamente.

– Non importa, – egli risponde, – cavedano o luccio, tinca o arborella, non tengo alle differenze specifiche. Mi basterà di diventare in generale un pesce, cioè un animale d'acqua, anzi, d'acqua dolce. È lo scopo della mia vita. Impiegherò nell'impresa tutte le mie energie, il mio tempo libero, i miei risparmi, la dote di mia moglie.

– È sposato?

– No. Ma potrei esserlo in futuro. Per quanto io ne dubiti. Non ho la testa all'amore.

– Pensa che l'amore sia una questione di testa?

– Lasciamo quest'argomento, signore, non è all'ordine del giorno. Diventerò pesce o soccomberò nel tentativo di educare i miei polmoni a respirare nell'acqua.

– Mi sembra, – dico, – un lodevole progetto. Ha anche il suo aspetto scientifico, come richiedono i tempi. L'esperimento meriterebbe certamente di essere finanziato da qualche importante accademia, da un istituto di zoologia, dalla fondazione ittiologica di Borca, dalla facoltà di piscicultura di Bagnella...

– Mai! Mai, signore! Farò tutto da me. L'ho giurato.

– Forse a suo padre, sul letto di morte?
– Mio padre è vivo e vegeto e purtroppo se ne infischia dei pesci. Gli piacciono solo le lumache.
– Come dicevo, – riprendo, – mi sembra un progetto ambizioso e quanto mai degno di stima e di rispetto. Quel che mi sfugge è la sua motivazione. Ci dev'essere qualche significato ideologico che non afferro, qualche allusione politica che non penetro. Non c'entra, per caso, la religione? Lei è, per ipotesi, affiliato a qualche setta buddista?
– Perché buddista?
– E perché no?
– Si tolga, signore, con tutto il rispetto, si tolga simili idee dalla testa. Ciò che mi muove è puro patriottismo.
– Non vedo, – commento, dopo aver brevemente riflettuto, – che vantaggio potrebbe trarre dalla sua metamorfosi la nostra cara patria, o quale soccorso per affrontare le strette dell'attuale crisi economica.
– Non parlo, – precisa il ragioniere, – della patria grande, ma della mia piccola patria cusiana. Piccola, ma a me molto cara.
– A me pure, se è per questo.
– Ebbene, signore, non ha mai sentito dire che il Cusio è, per effetto dell'inquinamento, della moria di pesci, dell'estinzione di ogni attività biologica, un «lago morto»? Ma

io non accetto siffatta espressione, caro signore. E quando io sarò diventato un pesce, nessuno piú, né in Italia né all'estero, né in italiano né in borgognone potrà ripetere che il «Cusio è un lago morto» senza mentire per la gola. Sí, – egli ripete con forza appassionata dopo una pausa, – io amo il Cusio. E voglio che esso viva. Per questo intendo dargli la mia vita, dopo averla convenientemente adattata al cambiamento.

E chi sa per quanto tempo mi sarebbe toccato di ascoltare i suoi sfoghi patriottico-zoologici, ma anche, ovviamente, ecologici, se, nel guardarmi intorno in cerca di qualche soccorso, o anche solo di una piccola distrazione che mi permettesse di arrivare alla fine della sua perorazione senza eccessive sofferenze, non mi fosse capitato di scoprire un branco di pesci che nuotavano sotto e intorno all'imbarcadero, apparentemente ignari del loro dovere di essere morti e assenti da un pezzo.

– Ragioniere! – esclamai additandogli l'inatteso spettacolo. – Guardi!

Egli guardò il mio dito, perplesso.

– In acqua! Guardi in acqua! Ci sono dei pesci!

– Non è possibile! Lei è vittima di un'allucinazione.

– Si fa presto a controllare il mio stato di salute mentale. Guardi lei stesso. Quattro occhi vedono meglio di due.

Guardò. Vide. Impallidí...

– Non capisco... – balbettò curvandosi vieppiú verso l'acqua.

– Sono pesci, sí o no?

– Ne hanno tutta l'apparenza.

– Certo non sono gatti, – dissi, – anche perché i gatti non amano tuffarsi. Sono pesci, signor mio. Direi cavédani, a occhio e croce, sebbene io non sia un pescatore né un professore di scienze naturali.

– Ma questo... ma questo... La mia impresa... Lo scopo della mia vita...

In pochi attimi era passato dall'esaltazione alla disperazione.

– Come mai non li ha visti prima, lei che da mesi passa tante ore in acqua?

– Le confesserò, signore, che non ho ancora imparato a tuffarmi a occhi aperti. Avevo in calendario degli esercizi all'uopo per il prossimo mese... Ma ormai, ormai...

E senza rivolgermi un saluto, senza piú osare di guardarmi, il ragionier Polaroli si lasciò cadere nel lago e nuotò rapidamente verso il largo, dove lo attendeva oscillando una barchetta su cui egli si arrampicò. Dopo qualche colpo di tosse il motore si mise in moto. Vidi la barchetta allontanarsi in direzione di Bagnella.. Qualche mese dopo un amico, al quale avevo chiesto notizie, m'informò che Polaroli aveva lasciato Omegna per trasferirsi in Finlandia. Paese, come si sa, ricco di laghi. [...]

Alice Cascherina

Questa è la storia di Alice Cascherina, che cascava sempre e dappertutto.

Il nonno la cercava per portarla ai giardini: – Alice! Dove sei, Alice?

– Sono qui, nonno.

– Dove, qui?

– Nella sveglia.

Sí, aveva aperto lo sportello della sveglia per curiosare un po', ed era finita tra gli ingranaggi e le molle, ed ora le toccava di saltare continuamente da un punto all'altro per non essere travolta da tutti quei meccanismi che scattavano facendo tic-tac.

Un'altra volta il nonno la cercava per darle la merenda: – Alice! Dove sei, Alice?

– Sono qui, nonno.

– Dove, qui?

– Ma proprio qui, nella bottiglia. Avevo sete, ci sono cascata dentro.

Ed eccola là che nuotava affannosamente per tenersi a galla. Fortuna che l'estate prima, a Sperlonga, aveva imparato a fare la rana.

– Aspetta che ti ripesco.

Il nonno calò una cordicina dentro la bottiglia, Alice vi si aggrappò e vi si arrampicò con destrezza. Era brava in ginnastica.

Un'altra volta ancora Alice era scomparsa. La cercava il nonno, la cercava la nonna, la cercava una vicina che veniva sempre a leggere il giornale del nonno per risparmiare quaranta lire.

– Guai a noi se non la troviamo prima che tornino dal lavoro i suoi genitori, – mormorava la nonna, spaventata.

– Alice! Alice! Dove sei, Alice?

Stavolta non rispondeva. Non poteva rispondere. Nel curiosare in cucina era caduta nel cassetto delle tovaglie e dei tovaglioli e ci si era addormentata. Qualcuno aveva chiuso il cassetto senza badare a lei. Quando si svegliò, Alice si trovò al buio, ma non ebbe paura: una volta era caduta in un rubinetto, e là dentro sí che faceva buio.

«Dovranno pur preparare la tavola per la cena, – rifletteva Alice. – E allora apriranno il cassetto».

Invece nessuno pensava alla cena, proprio perché non si trovava Alice. I suoi genitori erano tornati dal lavoro e sgridavano i nonni: – Ecco come la tenete d'occhio!

XII
IX
III
VI

– I nostri figli non cascavano dentro i rubinetti, – protestavano i nonni, – ai nostri tempi cascavano soltanto dal letto e si facevano qualche bernoccolo in testa.

Finalmente Alice si stancò di aspettare. Scavò tra le tovaglie, trovò il fondo del cassetto e cominciò a batterci sopra con un piede.

Tum, *tum*, *tum*.

– Zitti tutti, – disse il babbo, – sento battere da qualche parte.

Tum, *tum*, *tum*, chiamava Alice.

Che abbracci, che baci quando la ritrovarono. E Alice ne approfittò subito per cascare nel taschino della giacca di papà e quando la tirarono fuori aveva fatto in tempo a impiastricciarsi tutta la faccia giocando con la penna a sfera.

Una casa tanto piccola

Il signor Gustavo ha cominciato a costruirsi una casa tutta per sé. Però ha pochi soldi, può comprare pochi mattoni e cosí la casa gli viene piccola piccola, tanto piccola che il signor Gustavo deve strisciare per terra se vuole entrare, e una volta dentro non può neanche alzarsi in piedi perché batterebbe la testa contro il tetto, e deve restare sempre seduto.

I bambini saltano sul tetto della casina e qualche volta, quando il signor Gustavo non c'è, gli nascondono la casa dietro un cespuglio. Il signor Gustavo va in giro per il paese a cercare la sua casa e non la trova.

È tanto buono, poveretto. Sul davanzale della finestra, invece delle briciole per i passeri, mette le caramelle per i bambini. Tutti i bambini che passano hanno diritto di prendere una caramella. Cosí il signor Gustavo e i bambini diventano amici. I bambini gli domandano:

– Quanti mattoni hai adoperato per fare la tua casina?
– Centodiciotto.
– E quanta calcina?
– Due etti e mezzo, – risponde il signor Gustavo.
I bambini ridono, ride anche lui, tutti sono contenti.

Il paese con l'esse davanti

Giovannino Perdigiorno era un grande viaggiatore. Viaggia e viaggia, capitò nel paese con l'esse davanti.

– Ma che razza di paese è? – domandò a un cittadino che prendeva il fresco sotto un albero.

Il cittadino, per tutta risposta, cavò di tasca un temperino e lo mostrò bene aperto sul palmo della mano.

– Vede questo?

– È un temperino.

– Tutto sbagliato. Invece è uno «stemperino», cioè un temperino con l'esse davanti. Serve a far ricrescere le matite, quando sono consumate, ed è molto utile nelle scuole.

– Magnifico, – disse Giovannino. – E poi?

– Poi abbiamo lo «staccapanni».

– Vorrà dire l'attaccapanni.

– L'attaccapanni serve a ben poco, se non avete il cappotto da attaccarci. Col nostro «staccapanni» è tutto diverso. Lí non bisogna attaccarci niente, c'è già tutto attaccato. Se avete bisogno di un cappotto andate lí e lo staccate. Chi ha bisogno di una giacca, non deve mica andare a comprarla: passa dallo staccapanni e la stacca. C'è lo staccapanni d'estate e quello d'inverno, quello per uomo e quello per signora. Cosí si risparmiano tanti soldi.

– Una vera bellezza. E poi?

– Poi abbiamo la macchina «sfotografica», che invece di fare le fotografie fa le caricature, cosí si ride. Poi abbiamo lo «scannone».

– Brr, che paura.

– Tutt'altro. Lo «scannone» è il contrario del cannone, e serve per disfare la guerra.

– E come funziona?

– È facilissimo, può adoperarlo anche un bambino. Se c'è la guerra, suoniamo la stromba, spariamo lo scannone e la guerra è subito disfatta.

Che meraviglia il paese con l'esse davanti.

Gli uomini di zucchero

Giovannino Perdigiorno,
viaggiando in elicottero,
arrivò nel paese
degli uomini di zucchero.

Dolcissimo paese!
E che uomini carini!
Sono bianchi, sono dolci,
si misurano a cucchiaini.

Portano nomi soavi:
Zolletta, Dolcecuore,
e il loro re si chiama
Glucosio il Dolcificatore.

Anche la geografia
laggiú è una dolce cosa:
c'è il monte San Dolcino,
la città di Vanigliosa.

Ci si mangia pan di miele,
si beve acqua caramellata,
si mette la saccarina
perfino nell'insalata.

«Ma almeno ce l'avete
un po' di sale in zucca?
No? Allora me la batto?
questo paese mi stucca».

L’astronave

– O voi dell’astronave,
dove andate? chi siete?

– Noi viaggiamo da millenni
fra le stelle e le comete.

Siamo miliardi, a bordo:
uomini, donne, bambini,

e anche i nostri morti
ci stanno sempre vicini.

La strada è lunga. Ma noi
siamo un solo equipaggio:

se ci diamo la mano,
faremo un buon viaggio.

Il treno dei bambini

C'è un paese dove i bambini
hanno per loro tanti trenini,

ma treni veri, che questa stanza
per farli andare non è abbastanza,

treni lunghi da qui fin là,
che attraversano la città.

Il capostazione è un ragazzetto
appena piú grande del fischietto,

il capotreno è una bambina
allegra come la sua trombettina;

sono bambini il controllore,
il macchinista, il frenatore.

Tutti i posti sui vagoncini
sono vicini ai finestrini.

E il bigliettario sul suo sportello
ha attaccato questo cartello:

«I signori
genitori

se hanno voglia di viaggiare
debbono farsi accompagnare».

La famosa pioggia di Piombino

Una volta a Piombino piovvero confetti. Venivano giú grossi come chicchi di grandine, ma erano di tutti i colori: verdi, rosa, viola, blu. Un bambino si mise in bocca un chicco verde, tanto per provare, e trovò che sapeva di menta. Un altro assaggiò un chicco rosa e sapeva di fragola.

– Sono confetti! Sono confetti!

E via tutti per le strade a riempirsene le tasche. Ma non facevano in tempo a raccoglierli, perché venivano giú fitti fitti.

La pioggia durò poco ma lasciò le strade coperte da un tappeto di confetti profumati che scricchiolavano sotto i piedi. Gli scolari, tornando da scuola, ne trovarono ancora da riempirsi le cartelle. Le vecchiette ne avevano messi insieme dei bei fagottelli coi loro fazzoletti da testa.

Fu una grande giornata.

Anche adesso molta gente aspetta che dal cielo piovano confetti, ma quella nuvola non

è passata piú né da Piombino né da Torino, e forse non passerà mai nemmeno da Cremona.

Sul Duomo di Como

Un signore molto piccolo di Como,
una volta salí in cima al Duomo.
E quando fu in cima
era alto come prima
quel signore tanto piccolo di Como.

Un tale di Macerata

Ho conosciuto un tale,
un tale di Macerata,
che insegnava ai coccodrilli
a mangiare la marmellata.

Le Marche, però,
sono posti tranquilli.
Marmellata ce n'è tanta,
ma niente coccodrilli.

Quel tale girava
per il monte e per la pianura,
in cerca di coccodrilli
per mostrare la sua bravura.

Andò a Milano, a Como,
a Lucca, ad Acquapendente:
tutti posti bellissimi
ma coccodrilli niente.

È ancora lí che gira,
un impiego non l'ha trovato:
sa un bellissimo mestiere,
ma è sempre disoccupato.

Una viola al Polo Nord

Una mattina, al Polo Nord, l'orso bianco fiutò nell'aria un odore insolito e lo fece notare all'orsa maggiore (la minore era sua figlia):

– Che sia arrivata qualche spedizione?

Furono invece gli orsacchiotti a trovare la viola. Era una piccola violetta mammola e tremava di freddo, ma continuava coraggiosamente a profumare l'aria, perché quello era il suo dovere.

– Mamma, papà, – gridarono gli orsacchiotti.

– Io l'avevo detto subito che c'era qualcosa di strano, – fece osservare per prima cosa l'orso bianco alla famiglia. – E secondo me non è un pesce.

– No di sicuro, – disse l'orsa maggiore, – ma non è nemmeno un uccello.

– Hai ragione anche tu, – disse l'orso, dopo averci pensato su un bel pezzo.

Prima di sera si sparse per tutto il Polo la

notizia: un piccolo, strano essere profumato, di colore violetto, era apparso nel deserto di ghiaccio, si reggeva su una sola zampa e non si muoveva. A vedere la viola vennero foche e trichechi, vennero dalla Siberia le renne, dall'America i buoi muschiati, e piú di lontano ancora volpi bianche, lupi e gazze marine. Tutti ammiravano il fiore sconosciuto, il suo stelo tremante, tutti aspiravano il suo profumo, ma ne restava sempre abbastanza per quelli che arrivavano ultimi ad annusare, ne restava sempre come prima.

– Per mandare tanto profumo, – disse una foca, – deve avere una riserva sotto il ghiaccio.

– Io l'avevo detto subito, – esclamò l'orso bianco, – che c'era sotto qualcosa.

Non aveva detto proprio cosí, ma nessuno se ne ricordava.

Un gabbiano, spedito al Sud per raccogliere informazioni, tornò con la notizia che il piccolo essere profumato si chiamava viola e che in certi paesi, laggiú, ce n'erano milioni.

– Ne sappiamo quanto prima, – osservò la foca. – Com'è che proprio questa viola è arrivata proprio qui? Vi dirò tutto il mio pensiero: mi sento alquanto perplessa.

– Come ha detto che si sente? – domandò l'orso bianco a sua moglie.

– Perplessa. Cioè, non sa che pesci pigliare.

– Ecco, – esclamò l'orso bianco, – proprio quello che penso anch'io.

Quella notte corse per tutto il Polo un pauroso scricchiolio. I ghiacci eterni tremavano come vetri e in piú punti si spaccarono. La violetta mandò un profumo piú intenso, come se avesse deciso di sciogliere in una sola volta l'immenso deserto gelato, per trasformarlo in un mare azzurro e caldo, o in un prato di velluto verde. Lo sforzo la esaurí. All'alba fu vista appassire, piegarsi sullo stelo, perdere il colore e la vita. Tradotto nelle nostre parole e nella nostra lingua il suo ultimo pensiero dev'essere stato pressappoco questo: – Ecco, io muoio... Ma bisognava pure che qualcuno cominciasse... Un giorno le viole giungeranno qui a milioni. I ghiacci si scioglieranno, e qui ci saranno isole, case e bambini.

Noi bambini

La minestra

Un po' per la mamma,
un po' per il papà,
un po' per la nonna
di Santhià,
un po' per la zia
che sta in Francia...

Fu cosí che al bambino
venne il mal di pancia.

Il gelato

Di crema, di limone o di vainiglia,
il gelato, che meraviglia!

In vetta al delicato
cono vede il bambino
dapprima un iridato
massiccio alpino:
e la panna è la neve del Cervino,
la fragola, tra burroni di cioccolato,
è il Monte Rosa, certo.

Poi le dentate scintillanti vette
si sciolgono in delizia, non sono piú
che lisce collinette
o le dune ondulate d'un deserto...

E anche il deserto te lo mangi tu
scoprendo che la sabbia, o meraviglia,
è di crema e limone, e di vainiglia.

La strada di cioccolato

Tre fratellini di Barletta una volta, camminando per la campagna, trovarono una strada liscia liscia e tutta marrone.

– Che sarà? – disse il primo.

– Legno non è, – disse il secondo.

– Non è carbone, – disse il terzo.

Per saperne di piú si inginocchiarono tutti e tre e diedero una leccatina.

Era cioccolato, era una strada di cioccolato. Cominciarono a mangiarne un pezzetto, poi un altro pezzetto, venne la sera e i tre fratellini erano ancora lí che mangiavano la strada di cioccolato, fin che non ce ne fu piú neanche un quadratino. Non c'era piú né il cioccolato né la strada.

– Dove siamo? – domandò il primo.

– Non siamo a Bari, – disse il secondo.

– Non siamo a Molfetta, – disse il terzo.

Non sapevano proprio come fare. Per fortuna ecco arrivare dai campi un contadino col suo carretto.

– Vi porto a casa io, – disse il contadino. E li portò fino a Barletta, fin sulla porta di casa. Nello smontare dal carretto si accorsero che era fatto tutto di biscotto. Senza dire né uno né due cominciarono a mangiarselo, e non lasciarono né le ruote né le stanghe.

Tre fratellini cosí fortunati, a Barletta, non c'erano mai stati prima e chissà quando ci saranno un'altra volta.

La caramella istruttiva

Sul pianeta Bih non ci sono libri. La scienza si vende e si consuma in bottiglie.

La storia è un liquido rosso che sembra granatina, la geografia un liquido verde menta, la grammatica è incolore e ha il sapore dell'acqua minerale. Non ci sono scuole, si studia a casa. Ogni mattina i bambini, secondo l'età, debbono mandar giú un bicchiere di storia, qualche cucchiaiata di aritmetica e cosí via.

Ci credereste? Fanno i capricci lo stesso.

– Su, da bravo, – dice la mamma, – non sai quanto è buona la zoologia. È dolce, dolcissima. Domandalo alla Carolina – (che è il robot elettronico di servizio).

La Carolina, generosamente, si offre di assaggiare per prima il contenuto della bottiglia. Se ne versa un dito nel bicchiere, lo beve, fa schioccare la lingua:

– Uh, se è buona, – esclama, e subito comincia a recitare la zoologia: «La mucca è un quadrupede ruminante, si nutre di erba e ci dà il latte con la cioccolata».

– Hai visto? – domanda la mamma trionfante.

Lo scolaretto nicchia. Sospetta ancora che non si tratti di zoologia, ma di olio di fegato di merluzzo. Poi si rassegna, chiude gli occhi e trangugia la sua lezione tutta in una volta. Applausi.

Ci sono, si capisce, anche scolaretti diligenti e studiosi: anzi, golosi. Si alzano di notte a rubare la storia-granatina, e leccano fin l'ultima goccia dal bicchiere. Diventano sapientissimi.

Per i bambini dell'asilo ci sono delle caramelle istruttive: hanno il gusto della fragola, dell'ananas, del ratafià, e contengono alcune facili poesie, i nomi dei giorni della settimana, la numerazione fino a dieci.

Un mio amico cosmonauta mi ha portato per ricordo una di quelle caramelle. L'ho data alla mia bambina, ed essa ha cominciato subito a recitare una buffa filastrocca nella lingua del pianeta Bih, che diceva pressappoco:

anta anta pero pero
penta pinta pim però,

e io non ci ho capito niente.

Chi comanda?

Ho domandato a una bambina: – Chi comanda in casa?

Sta zitta e mi guarda.

– Su, chi comanda da voi: il babbo o la mamma?

La bambina mi guarda e non risponde.

– Dunque, me lo dici? Dimmi chi è il padrone.

Di nuovo mi guarda, perplessa.

– Non sai cosa vuol dire comandare?

Sí che lo sa.

– Non sai cosa vuol dire padrone?

Sí che lo sa.

– E allora?

Mi guarda e tace. Mi debbo arrabbiare? O forse è muta, la poverina. Ora poi scappa addirittura, di corsa, fino in cima al prato. E di lassú si volta a mostrarmi la lingua e mi grida, ridendo: – Non comanda nessuno, perché ci vogliamo bene.

Libri in filastrocca

I miei libri sanno a memoria
qualsiasi storia:
sanno quella degli indiani,
dei pellirossa e degli africani,
dei pirati, dei corsari,
dei beduini che vanno nel deserto
a cavallo dei cammelli e dei dromedari.

Loro sanno tutti i perché:
perché la luna c'è e non c'è,
perché il sole scompare
in fondo al mare,
perché la neve cade
e dove vanno a finire tutte le strade.

Sui miei libri ci sono pure
le figure:
a sfogliarli, come niente
si conosce tutta la gente.

Se in casa sono solo, non mi lagno:
con la mia libreria
io sono sempre in buona compagnia.

La radio

Viaggia e viaggia... di fianco dell'armadio
su un tavolino c'è la radio.

Attenzione, giro il bottone:
parla la voce del Giappone.

Il giapponese non lo capisco,
faccio una corsa a San Francisco,

oppure a Londra, a Mosca, a Pekino,
senza spostarmi d'un passettino.

La voce che arriva nella mia stanza
viene dal Capo di Buona Speranza,

se suona il violino a Costarica
io lo sento senza fatica:

per ubbidire al mio bottone
ha attraversato forse un tifone.

Il re Mida

Il re Mida era un grande spendaccione, tutte le sere dava feste e balli, fin che si trovò senza un centesimo. Andò dal mago Apollo, gli raccontò i suoi guai e Apollo gli fece questo incantesimo: – Tutto quello che le tue mani toccano deve diventare oro.

Il re Mida fece un salto per la contentezza e tornò di corsa alla sua automobile, ma non fece in tempo a toccare la maniglia della portiera che subito la macchina diventò tutta d'oro: ruote d'oro, vetri d'oro, motore d'oro. Era diventata d'oro anche la benzina, cosí la macchina non camminava piú e bisognò far venire un carro coi buoi per trasportarla.

Appena a casa il re Mida andava in giro per le stanze a toccare piú cose che poteva, tavoli, armadi, sedie, e tutto diventava d'oro. A un certo punto ebbe sete, si fece portare un bicchiere d'acqua, ma il bicchiere diventò d'oro, l'acqua pure, e se volle bere dovette lasciarsi imboccare dal suo servo col cucchiaio.

Venne l'ora di andare a tavola. Toccava la forchetta e diventava d'oro e tutti gli invitati battevano le mani e dicevano: – Maestà, toccatemi i bottoni della giacca, toccatemi questo ombrello.

Il re Mida li faceva contenti, ma quando prese il pane per mangiare anche quello diventò d'oro e se volle cavarsi l'appetito dovette farsi imboccare dalla regina. Gli invitati si nascondevano sotto il tavolo a ridere e il re Mida si arrabbiò, ne acchiappò uno e gli fece diventare d'oro il naso, cosí non poteva piú soffiarselo.

Venne l'ora di andare a dormire, ma il re Mida, senza volerlo, toccò il cuscino, toccò le lenzuola e il materasso, diventarono d'oro massiccio ed erano troppo duri per dormirci. Gli toccò di passare la notte seduto su una poltrona, con le braccia alzate per non toccare niente, e la mattina dopo era stanco morto. Corse subito dal mago Apollo per farsi disfare l'incantesimo, e Apollo lo accontentò.

– Va bene, – gli disse, – ma sta' bene attento, perché per far passare l'incantesimo ci vogliono sette ore e sette minuti giusti, e in questo tempo tutto quello che toccherai diventerà cacca di mucca.

Il re Mida se ne andò tutto consolato, e stava bene attento all'orologio, per non toccare niente prima che fossero passati sette ore e sette minuti.

Purtroppo il suo orologio correva un po' piú del necessario, e andava avanti un minuto ogni ora. Quando ebbe contato sette ore e sette minuti il re Mida aprí la macchina e ci montò, e subito si trovò seduto in mezzo a un gran mucchio di cacca di mucca, perché mancavano ancora sette minuti alla fine dell'incantesimo.

Teledramma

Signori e buona gente,
venite ad ascoltare:
un caso sorprendente
andremo a raccontare.

È successo a Milano
e tratta di un dottore
che è caduto nel video
del suo televisore.

Con qualsiasi tempo,
ad ogni trasmissione
egli stava in poltrona
a guardare la televisione.

Incurante dei figli
e della vecchia mamma
dalle sedici a mezzanotte
non perdeva un programma.

Riviste, telegiornali,
canzoni oppure balli,
romanzi oppur commedie,
telefilm, intervalli,

tutto ammirava, tutto
per lui faceva brodo:
nella telepoltrona
piantato come un chiodo.

Ma un dí per incantesimo
o malattia (che ne dite?
non può darsi che avesse
la televisionite?)

durante un intervallo
con la fontana di Palermo
decollò dalla poltrona
e cadde nel teleschermo.

Ora è là in mezzo alla vasca
che sta per affogare:
parenti, amici in lacrime
lo vorrebbero aiutare,

chi lo tira per la cravatta
chi lo prende per il naso
non c'è verso di risolvere
il drammatico telecaso.

Andrà in Eurovisione?
Diventerà pastore
di quei greggi di pecore
che sfilano per ore?

Riceverà i malati
da quella scatoletta?
Come farà dopo la visita
a scrivere la ricetta?

Ma tra poco, purtroppo,
la trasmissione finisce:
e se il video si spegne,
il misero dove finisce?

Fortuna che il suo figliolo
studioso di magnetismo,
per ripescarlo escogita
un abile meccanismo.

Compra un altro televisore
e glielo mette davanti;
il dottore ci si specchia
e dopo pochi istanti

per forza d'attrazione
schizza fuori da quello vecchio
e già sta per tuffarsi
nel secondo apparecchio.

Ma nel momento preciso
che galleggia nell'aria,
piú veloce di gabbiano
o nave interplanetaria,

il figlio elettrotecnico,
svelto di mano e di mente,
spegne i due televisori
contemporaneamente.

Cade il dottor per terra,
e un bernoccolo si fa:
meglio cento bernoccoli
che perdere la libertà.

Le favole a rovescio

C'era una volta
un povero lupacchiotto,
che portava alla nonna
la cena in un fagotto.
E in mezzo al bosco
dov'è piú fosco
incappò nel terribile
Cappuccetto Rosso,
armato di trombone
come il brigante Gasparone...
Quel che successe poi,
indovinatelo voi.
Qualche volta le favole
succedono all'incontrario
e allora è un disastro:
Biancaneve bastona sulla testa
i nani della foresta,
la Bella Addormentata non si addormenta,
il Principe sposa
una brutta sorellastra,

la matrigna tutta contenta,
e la povera Cenerentola
resta zitella e fa
la guardia alla pentola.

Per colpa di un accento

Per colpa di un accento
un tale di Santhià
credeva d'essere alla meta
ed era appena a metà.

Per analogo errore
un contadino a Rho
tentava invano di cogliere
le pere da un però.

Non parliamo del dolore
di un signore di Corfú
quando, senza piú accento,
il suo cucú non cantò piú.

Filastrocca dell'alfabeto

Filastrocca dell'A B C
ve la conto subito qui:
A, è l'automobile con l'autista,
B, è un bar col suo barista,
C, il controllore del treno diretto,
D, la diga che fa un laghetto,
E, l'elicottero per volare,
F, la falce per falciare,
G, un gettone per telefonare,
I, l'idrante del pompiere,
L, è la lepre ed il levriere,
M, è il mare con tutte l'onde,
N, la nebbia che ti nasconde,
O, l'orologio che dice le ore,
P, il pallone del calciatore,
Q, il quadro del pittore,
R, la radio del radioabbonato,
S, il sole che ti ha svegliato,
T, s'intende è la televisione
per la teletrasmissione,
U nel nido è un uccellino,

S
U
E
12
9
3
6
O
L
L

V, la vettura del vetturino,
e Zeta, la lettera musicale,
è la zampogna di Natale.

La guerra delle campane

C'era una volta una guerra, una grande e terribile guerra, che faceva morire molti soldati da una parte e dall'altra. Noi stavamo di qua e i nostri nemici stavano di là, e ci sparavamo addosso giorno e notte, ma la guerra era tanto lunga che a un certo punto ci venne a mancare il bronzo per i cannoni, non avevamo piú ferro per le baionette, eccetera.

Il nostro comandante, lo Stragenerale Bombone Sparone Pestafracassone, ordinò di tirar giú tutte le campane dai campanili e di fonderle tutte insieme per fabbricare un grossissimo cannone: uno solo, ma grosso abbastanza da vincere tutta la guerra con un sol colpo.

A sollevare quel cannone ci vollero centomila gru; per trasportarlo al fronte ci vollero novantasette treni. Lo Stragenerale si fregava le mani per la contentezza e diceva:

– Quando il mio cannone sparerà i nemici scapperanno fin sulla luna.

Ecco il gran momento. Il cannonissimo era puntato sui nemici. Noi ci eravamo riempiti le orecchie di ovatta, perché il frastuono poteva romperci i timpani e la tromba di Eustachio.

Lo Stragenerale Bombone Sparone Pestafracassone ordinò: – Fuoco!

Un artigliere premette un pulsante. E d'improvviso, da un capo all'altro del fronte, si udí un gigantesco scampanio: *Din! Don! Dan!*

Noi ci levammo l'ovatta dalle orecchie per sentir meglio.

– *Din! Don! Dan!* – tuonava il cannonissimo. E centomila echi ripetevano per monti e per valli: – *Din! Don! Dan!*

– Fuoco! – gridò lo Stragenerale per la seconda volta: – Fuoco, perbacco!

L'artigliere premette nuovamente il pulsante e di nuovo un festoso concerto di campane si diffuse di trincea in trincea. Pareva che suonassero insieme tutte le campane della nostra patria. Lo Stragenerale si strappava i capelli per la rabbia e continuò a strapparseli fin che gliene rimase uno solo.

Poi ci fu un momento di silenzio. Ed ecco che dall'altra parte del fronte, come per un segnale, rispose un allegro, assordante: – *Din! Don! Dan!*

Perché dovete sapere che anche il comandante dei nemici, il Mortesciallo Von Bombonen Sparonen Pestafrakasson, aveva avuto l'idea di fabbricare un cannonissimo con le campane del suo paese.

– *Din! Dan!* – tuonava adesso il nostro cannone.

– *Don!* – rispondeva quello dei nemici. E i soldati dei due eserciti balzavano dalle trincee, si correvano incontro, ballavano e gridavano: – Le campane, le campane! È festa! È scoppiata la pace!

Lo Stragenerale e il Mortesciallo salirono sulle loro automobili e corsero lontano, e consumarono tutta la benzina, ma il suono delle campane li inseguiva ancora.

L'apostrofo

Un apostrofo, stanco
di stare per aria appeso
come un salame,
senza fare chiasso
si lasciò cadere
in basso.
Cosa gli toccò vedere!
Fu subito preso
per una semplice virgola
e trattato, poveretto, senza il minimo rispetto.
«Ti levi di mezzo!
Ostacoli il traffico
delle parole».
«Ma questa cosa vuole?
Una virgola qui
non ci va.
Chiamate una guardia di città».
«Signor vigile, c'è un intoppo:
una virgola di troppo».
L'apostrofo sbuffava,
si scansava,

invano, si sforzava
di restar nascosto.
Per fortuna una matita pietosa
lo rimise al suo posto,
alto come un semaforo.
Se no certo a quest'ora
era un errore,
multato con un segno
rosso o blu
del professore.

La famiglia Punto-e-virgola

C'era una volta un punto
e c'era anche una virgola:
erano tanto amici,
si sposarono e furono felici.
Di notte e di giorno
andavano intorno
sempre a braccetto.
«Che coppia modello –
la gente diceva –
che vera meraviglia
la famiglia Punto-e-virgola».
Al loro passaggio
in segno di omaggio
perfino le maiuscole
diventavano minuscole:
e se qualcuna, poi,
a inchinarsi non è lesta
la matita del maestro
le taglia la testa.

L'ago di Garda

C'era una volta un *lago*, e uno scolaro
un po' somaro, un po' mago,
con un piccolo apostrofo
lo trasformò in un *ago*.
«Oh, guarda, guarda –
la gente diceva
– l'ago di Garda!»
«Un ago importante:
è segnato perfino sull'atlante».
«Dicono che è pescoso.
Il fatto è misterioso:
dove staranno i pesci, nella cruna?»
«E dove si specchierà la luna?»
«Sulla punta si pungerà,
si farà male...»
«Ho letto che ci naviga un battello».
«Sarà piuttosto un ditale».
Da tante critiche punto sul vivo
mago distratto cancellò l'errore,
ma lo fece con tanta furia

che, per colmo d'ingiuria,
si rovesciò l'inchiostro
formando un lago nero e senza apostrofo.

Il punto interrogativo

C'era una volta un punto
interrogativo,
un grande curiosone
con un solo ricciolone,
che faceva domande
a tutte le persone,
e se la risposta
non era quella giusta
sventolava il suo ricciolo
come una frusta.
Agli esami fu messo
in fondo a un problema
cosí complicato
che nessuno trovò il risultato.
Il poveretto, che
di cuore non era cattivo,
diventò per il rimorso
un punto esclamativo.

Il trionfo dello Zero

C'era una volta
un povero Zero
tondo come un o,
tanto buono ma però
contava proprio zero
e nessuno lo voleva in compagnia
per non buttarsi via.
Una volta per caso
trovò il numero Uno
di cattivo umore perché
non riusciva contare
fino a tre.
Vedendolo cosí nero
il piccolo Zero
si fece coraggio,
sulla sua macchina
gli offerse un passaggio,
e schiacciò l'acceleratore,
fiero assai dell'onore
di avere a bordo
un simile personaggio.

D'un tratto chi si vede
fermo sul marciapiede?
Il signor Tre che si leva il cappello
e fa un inchino
fino al tombino...
e poi, per Giove,
il Sette, l'Otto, il Nove
che fanno lo stesso.
Ma cosa era successo?
Che l'Uno e lo Zero
seduti vicini,
uno qua l'altro là
formavano un gran Dieci:
nientemeno, un'autorità!
Da quel giorno lo Zero
fu molto rispettato,
anzi da tutti i numeri
ricercato e corteggiato:
gli cedevano la destra
con zelo e premura,
(di tenerlo a sinistra
avevano paura),
lo invitavano a cena,
gli pagavano il cinemà,
per il piccolo Zero
fu la felicità.

Abbasso il nove

Uno scolaro faceva le divisioni:
– Il tre nel tredici sta quattro volte con l'avanzo di uno. Scrivo quattro al quoto. Tre per quattro dodici, al tredici uno. Abbasso il nove...
– Ah no, – gridò a questo punto il nove.
– Come? – domandò lo scolaro.
– Tu ce l'hai con me: perché hai gridato «abbasso il nove»? Che cosa ti ho fatto di male? Sono forse un nemico pubblico?
– Ma io...
– Ah, lo immagino bene, avrai la scusa pronta. Ma a me non mi va giú lo stesso. Grida «abbasso il brodo di dadi», «abbasso lo sceriffo», e magari anche «abbasso l'aria fritta», ma perché proprio «abbasso il nove»?
– Scusi, ma veramente...
– Non interrompere, è cattiva educazione. Sono una semplice cifra, e qualsiasi numero di due cifre mi può mangiare il risotto in

testa, ma anch'io ho la mia dignità e voglio essere rispettato. Prima di tutto dai bambini che hanno ancora il moccio al naso. Insomma, abbassa il tuo naso, abbassa gli avvolgibili, ma lasciami stare.

Confuso e intimidito, lo scolaro non abbassò il nove, sbagliò la divisione e si prese un brutto voto. Eh, qualche volta non è proprio il caso di essere troppo delicati.

Un regalo per le vacanze

Mario ebbe in dono, alla fine dell'anno scolastico, una penna per fare i compiti delle vacanze.

– Io volevo la bicicletta, – si lamentava Mario con il babbo.

– Aspetta a piagnucolare, – gli rispondeva il babbo. – Non hai ancora visto di che penna si tratta.

Qualche settimana dopo, Mario si decise, di malavoglia, a cominciare i compiti per le vacanze.

«Che disdetta, – pensava, risolvendo un problema, – per tutto l'anno il maestro mi ha dato per compito temi, problemi, operazioni e disegni. Per le vacanze avrebbe ben potuto darmi degli altri compiti. Per esempio: compito del lunedí, scalare una pianta di ciliege e fare una bella scorpacciata; compito del martedí, giocare una partita di calcio fin che si cade a terra stanchi morti; compito del mercoledí, fare una bella passeggiata nei boschi e dormire sotto la tenda. Invece no, eccomi ancora qui a fare divisioni e sottrazioni».

Proprio in quel momento la penna ebbe un guizzo, e si mise a correre rapidamente sui quadretti della prima pagina del quaderno.

– Che cosa ti salta in testa, – esclamò Mario. Era una cosa meravigliosa: la penna correva, correva da sola, ed in un attimo il problema fu risolto, le risposte furono scritte in bella calligrafia. Soltanto allora la penna si quietò e si sdraiò sul tavolino, come se fosse stanca e avesse voglia di dormire.

– Questa è bella, – disse Mario. – Ecco una penna che fa i compiti da sola!

Il giorno dopo, Mario doveva svolgere un tema. Si mise a tavolino, impugnò la penna, si grattò in testa per cercare qualche idea, ed ecco che di nuovo la penna partí in quarta velocità, e in un momento arrivò in fondo al foglio. Mario non aveva nessun'altra fatica da fare che di voltare il foglio; poi la penna ripigliava la sua corsa. Camminava da sola, senza che Mario dovesse tenerla fra le dita, e scriveva piú in fretta di una macchina. Da quel giorno, Mario, quando doveva fare un compito, apriva il quaderno, intingeva la penna nel calamaio, la posava sulla carta e stava a guardare: la penna faceva tutto per

Mario ebbe in dono
alla fine dell'anno
scolastico una pen-
na per fare i compiti
delle vacanze.
Io volevo la biciclett
si lamentava Mar
con il babb
Aspet

conto suo, piú brava del primo della classe. Mario si divertiva un poco a starla a vedere, poi sentiva i suoi amici che lo chiamavano, sotto la finestra.

– Vengo subito, – rispondeva. E rivolgendosi affettuosamente alla penna, le sussurrava:

– Finisci tu il compito, intanto che io vado a fare il bagno nel fiume.

La penna non se lo faceva dire due volte. Quando arrivava in fondo al foglio, e il compito era finito, saltava da sola nell'astuccio e si metteva a dormire. Una bella fortuna, per Mario, dovete ammetterlo.

Alla fine delle vacanze, il quaderno dei compiti era zeppo, pulito e ordinato come nessun quaderno di Mario era mai stato. Mario lucidò ben bene la sua penna, che se lo era meritato, e la ringraziò del suo ottimo servigio.

L'ombrello

Filastrocca per quando piove:
chi sta in casa non si muove,
io che in casa divento tetro
esco e il tetto mi porto dietro...

Un piccolo tetto di stoffa nera,
con tante stecche messe a raggera.
O che fenomeno simpatico
vedere un tetto con il manico!
Cosí me ne vado bello bello
fischiettando sotto l'ombrello.

Invenzione dei francobolli

Non capisco perché
la colla dei francobolli
la fanno sciapa,
sapor di rapa.
Avanti, chi inventa
i francobolli al ribes
e quelli alla menta?
Oh, che passione
i francobolli al limone...
Che delizia, che rarità
i francobolli al ratafià.

Che barba essere un tramvai

Voi non ci pensate,
nessuno ci pensa mai:
che barba essere un tramvai...
Da un capolinea
all'altro capolinea
fare sempre la stessa linea...
Sei nato Ventuno?
Campassi cent'anni
non diventerai mai
un Ventidue.
Sei nato Circolare?
Circola, amico,
sempre in tondo,
da piazza Mustafà
a piazza della Libertà.
Ma quale libertà?
Faccio sempre la stessa strada
senza consumarla.
Sono io che mi consumo
tristemente
scioccamente

scampanellando,
portando sempre la stessa gente
allo stesso posto...
E loro lo sanno
che mi potevo stufare,
scappare nei Mari del Sud...
...a sud di tutti i mari...
perciò mi hanno fatto i binari.
Ma in attesa che l'invenzione
ottenga il brevetto di Stato,
ti conviene studiare
come s'è sempre studiato.

Le case parlanti

Le case possono parlare
se qualcuno ha tempo e voglia
di starle ad ascoltare.
Naturalmente
bisogna fare
la domanda giusta.
Allora aprono il rubinetto.
Si lamentano perché
stanno troppo allo stretto.
Aria, aria, qua si soffoca.
Una è troppo alta,
le gira la testa:
tiratemi giú,
vorrei avere la testa sottoterra.
C'è una casa impazzita
all'angolo della piazza.
Voleva bene a un gatto,
è morto sotto un'auto.
Di notte si lamenta
da tutte le finestre chiuse.
Case nuove, vispe,

ottimiste:
hanno deciso che faranno
un grande viaggio.
Poverette, se sapessero
che non andranno nemmeno
in campagna la domenica...
La gente non porta piú
a spasso la sua casa.
Una volta lo faceva?
Boh!
Una casa non morde,
non c'è nemmeno bisogno
della museruola e del guinzaglio.
Portarla a prendere aria,
sui laghi.

Il Vesuvio con la tosse

A Napoli c'è il Vesuvio.
Una volta fumava.
Gli veniva la tosse.
Il dottore gli ha detto
la smette di fumare?
Sí, sí, dottore, la smetto.

Tanti saluti dai fiumi

Tutti i fiumi al mare vanno.
Incontrandosi che diranno?
«Vengo da Londra, mi chiamo Tamigi».
«Piacere: la Senna di Parigi».
«Dov'è il Tevere?» – «Sto qua!»
«Attenti che arriva il Paranà...»
Il Reno e il Nilo, l'Indo e il Giordano
si fanno l'inchino e il baciamano.
Il fiume Giallo e il fiume Azzurro
salutano il Gange con un sussurro.
Il mare adesso rimescola l'onde,
il Colorado col Volga confonde,
cancella i nomi, ne fa solo un mare...
dove i delfini vanno a giocare.

I mestieri dei grandi

I colori dei mestieri

Io so i colori dei mestieri:
sono bianchi i panettieri,
s'alzano prima degli uccelli
e han la farina nei capelli;
sono neri gli spazzacamini,
di sette colori son gli imbianchini;
gli operai dell'officina
hanno una bella tuta azzurrina,
hanno le mani sporche di grasso:
i fannulloni vanno a spasso,
non si sporcano nemmeno un dito,
ma il loro mestiere non è pulito.

Il pompiere

Il pompiere per chi non lo sa,
è un domatore di qualità.
Il fuoco è feroce come un tigrotto:
io lo addomestico in quattro e quattr'otto.
Con la pompa gli faccio passare
tutta la voglia di bruciare:
te lo spengo come un lumino,
come la fiamma di un cerino.

Mi preoccupa però
un terribile falò,
per il quale serve a poco
l'accetta del vigile del fuoco:
la guerra può incendiare il mondo
da un polo all'altro in un secondo.
Ma sapete che faremo?
Tutti insieme lo spegneremo.
Sarebbe bello da vedere:
tutti gli uomini, un solo pompiere!

Filastrocca del ferroviere

Filastrocca del ferroviere,
che bellissimo mestiere
stare in treno tutto il giorno
per l'Italia andare attorno.

È un bel mestiere, non dico di no,
sempre a spasso, ma però
quando di notte tu stai nel tuo letto
io vado in giro a bucare il biglietto.

Ferroviere, che bel lavoro,
sul berretto due righe d'oro,
chiamare per nome paesi e stazioni
come simpatici amiconi.

Ma se il mio bambino chiama «papà»
io sono sempre in un'altra città.

Il vigile urbano

Chi è piú forte del vigile urbano?
Ferma i tram con una mano.

Con un dito, calmo e sereno,
tiene indietro un autotreno:

cento motori scalpitanti
li mette a cuccia alzando i guanti.

Sempre in croce in mezzo al baccano:
chi è piú paziente del vigile urbano?

Il giornalista

O giornalista inviato speciale
quali notizie porti al giornale?

Sono stato in America, in Cina,
in Scozia, Svezia ed Argentina,
tra i Soviéti e tra i Polacchi,
Francesi, Tedeschi, Sloveni e Slovacchi,
ho parlato con gli Eschimesi,
con gli Ottentotti, coi Siamesi,
vengo dal Cile, dall'India e dal Congo,
dalla tribú dei Bongo-Bongo...
e sai che porto? una sola notizia!
Sarò licenziato per pigrizia.
Però il fatto è sensazionale,
merita un titolo cubitale:
tutti i popoli della terra
han dichiarato guerra alla guerra.

Lo spazzino

Io sono quello che scopa e spazza
con lo scopino e con la ramazza:
carta straccia, vecchie latte,
bucce secche, giornali, ciabatte,
mozziconi di sigaretta,
tutto finisce nella carretta.

Scopo scopo tutto l'anno,
quando son vecchio sapete che fanno?
Senza scopa, che è che non è,
scopano via pure me.

Gli odori dei mestieri

Io so gli odori dei mestieri:
di noce moscata sanno i droghieri,
sa d'olio la tuta dell'operaio,
di farina sa il fornaio,
sanno di terra i contadini,
di vernice gli imbianchini,
sul camice bianco del dottore
di medicine c'è un buon odore.
I fannulloni, strano però,
non sanno di nulla e puzzano un po'.

Indice

Fra i banchi

Animali in libertà

p. 9 Passatempi nella giungla
13 Il giovane gambero
16 Il serpente *bidone*
18 La mia mucca
21 La stella Gatto
33 La volpe fotografa
36 Alla formica
37 Lo Zoo delle favole

Giorni e stagioni dell'allegria

41 È in arrivo un treno carico di...
47 L'uomo di neve
48 Capodanno
49 Alla Befana: tre filastrocche
52 Carnevale
53 Dopo la pioggia
54 Filastrocca di primavera
56 Stagioni
57 Autunno

58 Temporali
59 La vendemmia
62 Il mago di Natale
65 Il pellerossa nel presepe
66 La preghiera di un passero che vuol fare il nido sull'albero di Natale

Viaggi e incontri

73 Mago Bireno
81 Pacchetto va al mare
89 Marco e Mirko e il ladro sfortunato
100 Il ragioniere-pesce del Cusio
111 Alice Cascherina
115 Una casa tanto piccola
118 Il paese con l'esse davanti
120 Gli uomini di zucchero
123 L'astronave
124 Il treno dei bambini
126 La famosa pioggia di Piombino
129 Sul Duomo di Como
130 Un tale di Macerata
132 Una viola al Polo Nord

Noi bambini

137 La minestra
138 Il gelato
139 La strada di cioccolato
141 La caramella istruttiva
143 Chi comanda?
144 Libri in filastrocca

145 La radio
146 Il re Mida
149 Teledramma
153 Le favole a rovescio
155 Per colpa di un accento
156 Filastrocca dell'alfabeto
159 La guerra delle campane
162 L'apostrofo
164 La famiglia Punto-e-virgola
165 L'ago di Garda
167 Il punto interrogativo
168 Il trionfo dello Zero
170 Abbasso il nove
172 Un regalo per le vacanze
176 L'ombrello
177 Invenzione dei francobolli
178 Che barba essere un tramvai
180 Le case parlanti
182 Il Vesuvio con la tosse
183 Tanti saluti dai fiumi

I mestieri dei grandi

187 I colori dei mestieri
188 Il pompiere
189 Filastrocca del ferroviere
190 Il vigile urbano
191 Il giornalista
192 Lo spazzino
193 Gli odori dei mestieri

Einaudi Ragazzi

Storie e rime

1 Mario Lodi, *Bandiera*
2 Mario Lodi e i suoi ragazzi, *Cipí*
4 Mario Rigoni Stern, *Il libro degli animali*
7 Gianni Rodari, *Prime fiabe e filastrocche*
9 Gianni Rodari, *La torta in cielo*
14 Gianni Rodari, *Favole al telefono*
16 Jean de La Fontaine, *Favole*
17 Gianni Rodari, *Il libro degli errori*
19 Mario Lodi, *Bambini e cannoni*
20 Gianni Rodari, *La gondola fantasma*
24 Gianni Rodari, *Fiabe e Fantafiabe*
25 Francesco Altan, *Kamillo Kromo*
28 *La storia di Pik Badaluk*
32 Gianni Rodari, *Gli affari del signor Gatto - Storie e rime feline*
33 *Favole di Esopo*
34 Gianni Rodari, *Novelle fatte a macchina*
35 Pinin Carpi, *C'è gatto e gatto*
36 Jill Barklem, *Il mondo di Boscodirovo*
37 Helme Heine, *Il libro degli Amici Amici*
38 Gianni Rodari, *Storie di Marco e Mirko*
39 Gianni Rodari, *Le favolette di Alice*
44 Gianni Rodari, *Zoo di storie e versi*
45 Bianca Pitzorno, *L'incredibile storia di Lavinia*
46 Nicoletta Costa, *Gatti Streghe Principesse*
47 Pinin Carpi, *Nel bosco del mistero - Poesie, cantilene e ballate per i bambini*
49 Gianni Rodari, *Versi e storie di parole*
52 Gianni Rodari, *I viaggi di Giovannino Perdigiorno*

53 Roberto Piumini, *Fiabe per occhi e bocca*
54 L. Gandini / R. Piumini, *Fiabe lombarde*
55 Gianni Rodari, *Il gioco dei quattro cantoni*
56 L. Gandini / R. Piumini, *Fiabe siciliane*
57 Gianni Rodari, *Il Pianeta degli alberi di Natale*
59 Bianca Pitzorno, *Streghetta mia*
60 Angela Nanetti, *Le memorie di Adalberto*
65 Gianni Rodari, *Filastrocche in cielo e in terra*
66 H. Bichonnier / Pef, *Storie per ridere*
67 Beatrice Solinas Donghi, *Quell'estate al castello*
69 Gianni Rodari, *Marionette in libertà*
70 Gianni Rodari, *Il secondo libro delle filastrocche*
72 Roberto Piumini, *Dall'ape alla zebra*
74 Gianni Rodari, *Altre storie*
75 Jill Barklem, *Un anno a Boscodirovo*
77 Gianni Rodari, *Agente x.99: storie e versi dallo spazio*
79 Roberto Piumini, *Lo stralisco*
80 Colin e Jacqui Hawkins, *Storie di mostri e di fantasmi*
81 Gianni Rodari, *Fra i banchi*
84 Roberto Piumini, *Mattia e il nonno*
86 Roberto Piumini, *Motu-Iti - L'isola dei gabbiani*
87 Gianni Rodari, *C'era due volte il barone Lamberto*
89 Nicoletta Costa, *Storie di Teodora*
94 Roberto Piumini, *Denis del pane*
95 L. Gandini / R. Piumini, *Fiabe toscane*
96 Angela Nanetti, *Mio nonno era un ciliegio*
99 Mino Milani, *La storia di Tristano e Isotta*
101 Roberto Piumini, *Il segno di Lapo*
102 Mino Milani, *La storia di Dedalo e Icaro*
106 Daniel Pennac, *Kamo - L'agenzia Babele*
107 Christine Nöstlinger, *Come due gocce d'acqua*
111 Mino Milani, *La storia di Ulisse e Argo*
112 Lella Gandini, *Ninnenanne e tiritere*
113 Christine Nöstlinger, *Mamma e papà, me ne vado*
114 Nicoletta Costa, *Storie di Margherita*
115 Pinin Carpi, *Il mare in fondo al bosco*
116 Ian McEwan, *L'inventore di sogni*
118 L. Gandini / R. Piumini, *Fiabe venete*
119 Beatrice Solinas Donghi, *Il fantasma del villino*
124 Mino Milani, *La storia di Orfeo ed Euridice*

126 Daniel Pennac, *L'evasione di Kamo*
127 S. Bordiglioni / M. Badocco, *Dal diario di una bambina troppo occupata*
128 Erwin Moser, *Minuscolo*
130 Susie Morgenstern, *Prima media!*
131 N. Caputo / S.C. Bryant, *Storie e storielle*
132 Sabina Colloredo, *Il bosco racconta*
133 Roberto Piumini, *L'oro del Canoteque*
141 Stefano Bordiglioni, *Scuolaforesta*
142 G. Quarzo / A. Vivarelli, *Amico di un altro pianeta*
145 Angela Nanetti, *Ofelia, vacci piano!*
146 Mario Rigoni Stern, *Il sergente nella neve*
147 Christine Nöstlinger, *La famiglia cercaguai*
148 Daniel Pennac, *Io e Kamo*
150 Oscar Wilde, *Il fantasma di Canterville*
156 Isaac Bashevis Singer, *Una notte di Hanukkah*
157 *Storie per tutte le stagioni*
158 Roberto Piumini, *Giulietta e Romeo*
159 Stefano Bordiglioni, *Scherzi. Istruzioni per l'uso - 52 modi per cacciarsi nei guai*
161 Daniel Pennac, *Kamo - L'idea del secolo*
162 Erwin Moser, *Manuel e Didi - Avventure di primavera*
163 Roberto Piumini, *Tutta una scivolanda*
164 Rudyard Kipling, *Rikki-tikki-tavi*
165 Luciano Comida, *Un pacco postale di nome Michele Crismani*
166 Roberto Piumini, *Tre sorrisi per Paride*
170 Stefano Bordiglioni, *Guerra alla Grande Melanzana*
172 Angela Nanetti, *Angeli*
173 Erwin Moser, *Manuel e Didi - Avventure d'autunno*
174 L. Gandini / R. Piumini, *Fiabe del Lazio*
176 Sabina Colloredo, *Un'estate senza estate*
177 Luciano Comida, *Michele Crismani vola a Bitritto*
180 Hans M. Enzensberger, *Il mago dei numeri*
181 Louis Pergaud, *La guerra dei bottoni*
183 S. Bordiglioni / R. Aglietti, *Teseo e il mostro del labirinto*
188 Erwin Moser, *Manuel e Didi - Avventure d'estate*
190 Beatrice Masini, *Olga in punta di piedi*
192 Daniel De Foe, *Robinson Crusoe*
197 Bianca Pitzorno, *Extraterrestre alla pari*

198 Guido Quarzo, *Il viaggio dell'Orca Zoppa*
200 Sigrid Heuck, *Storie sotto il melo*
201 Hans Christian Andersen, *C'era una volta, tanto tempo fa*
204 Oscar Wilde, *Il figlio delle stelle*
205 Luciano Malmusi, *Triceratopino nella valle dei dinosauri*
207 Angela Nanetti, *L'uomo che coltivava le comete*
208 Anne Fine, *Io e il mio amico*
209 Oscar Wilde, *Il Gigante egoista*
210 Roberto Piumini, *C'era una volta, ascolta*
211 Lev Tolstoj, *Filipok*
212 Edgar Allan Poe, *Il gatto nero e altri racconti*
213 Angela Nanetti, *P come prima (media) - G come Giorgina (Pozzi)*
217 Edgar Allan Poe, *Lo scarabeo d'oro*
218 Angela Nanetti, *Gli occhi del mare*
220 Bernard Clavel, *Storie di cani*
222 Mark Twain, *Le avventure di Tom Sawyer*
223 Angela Nanetti, *Veronica, ovvero «i gatti sono talmente imprebedibili»*
224 Gudrun Pausewang, *Basilio, vampiro vegetariano*
225 Nikolaj Gogol, *Il naso*
226 *Storie di fantasmi*
227 Nicoletta Costa, *Dove vai, nuvola Olga?*
228 Beatrice Masini, *Signore e signorine - Corale greca*
229 Sabina Colloredo, *Un'ereditiera ribelle - Vita e avventure di Peggy Guggenheim*
230 Roberto Piumini, *Mi leggi un'altra storia?*
231 *Belle, astute e coraggiose - Otto storie di eroine*, testi di Véronique Beerli
232 Stefano Bordiglioni, *La macchina Par-Pen*
233 Oscar Wilde, *Il Principe Felice*
235 Mario Rigoni Stern, *Compagno orsetto*
237 Stefano Bordiglioni, *Un problema è un bel problema*
238 Johanna Marin Coles e Lydia Marin Ross, *L'alfabeto della saggezza - 21 racconti da tutto il mondo*
239 L. Gandini / R. Piumini, *Fiabe piemontesi*
240 Agostino Traini, *Fantastica mucca Moka!*
242 Sabina Colloredo, *Un amore oltre l'orizzonte - Vita e viaggi di Margaret Mead*

243 Johanna Marin Coles e Lydia Marin Ross, *Storie dal cuore del mondo - cristiane, ebraiche, musulmane, buddiste, induiste*
244 Stefano Bordiglioni, *Il Capitano e la sua nave - Diario di bordo di una quarta elementare*
245 Christine Nöstlinger, *Lilli Superstar*
246 Donatella Bindi Mondaini, *Il coraggio di Artemisia - Pittrice leggendaria*
247 Roberto Piumini, *Le tre pentole di Anghiari*
248 Jack London, *Il richiamo della foresta*
249 Roberto Piumini, *Tre fiabe d'amore*
250 *La danza è la mia vita*
251 Stefano Bordiglioni, *I fantasmi del castello*
252 Beatrice Masini, *A pescare pensieri*
253 Geraldine McCaughrean, *Storie d'amore e d'amicizia*
254 Stefano Bordiglioni, *La congiura dei Cappuccetti*
255 Sabina Colloredo, *Non chiamarmi strega*
256 Roberto Piumini, *Il circo di Zeus - Storie di mitologia greca*
257 Luciano Comida, *Non fare il furbo, Michele Crismani*
258 *Storie di streghe, lupi e dragolupi*
259 Erwin Moser, *La barca dei sogni - Storie della buonanotte*
260 Ingo Siegner, *Nocedicocco - Draghetto sputafuoco*
261 Roberto Piumini, *Storie per chi le vuole*
262 Ingo Siegner, *Nocedicocco va a scuola*
263 *L'amore, la vendetta e la magia - dalle opere di William Shakespeare*, testi di Andrew Matthews
264 Saviour Pirotta, *Ai piedi dell'Olimpo - Miti greci*
265 Geraldine McCaughrean, *Il lago dei cigni e altre storie dai balletti*
266 E.T.A. Hoffmann, *Schiaccianoci e il Re dei Topi*
267 Françoise Bobe, *Un gatto tira l'altro*
268 Mino Milani, *Un angelo, probabilmente*
269 Sabina Colloredo, *I giorni dell'amore, i giorni dell'odio - Cleopatra, regina a diciott'anni*
270 Rolande Causse e Nane Vézinet, *Storie di cavalli*
271 Silvia Roncaglia e Sebastiano Ruiz Mignone, *Vacanze in Costa Poco*
272 Irène Colas, *Guida per aspiranti principesse*
273 Roberto Piumini, *Storie in un fiato*
274 Kenneth Grahame, *Il vento nei salici*

275 Gianni Rodari, *Gip nel televisore e altre storie in orbita*
276 L. Gandini / R. Piumini, *Fiabe dell'Emilia Romagna*
277 Tony Bradman, *Spade, maghi e supereroi*
278 Stefano Bordiglioni, *Polvere di stelle*
279 Beatrice Masini, *La bambina di burro e altre storie di bambini strani*
280 Anna Russo, *Pao alla conquista del mondo*
281 Stefano Bordiglioni, *Un attimo prima di dormire*
282 Chiara Carminati, *Banana Trip*
283 Irène Colas, *Guida per aspiranti streghe*
284 *Storie di maghi e di magie*, testi di Fiona Waters
285 L. Gandini / R. Piumini, *Fiabe d'Italia*
286 Ingo Siegner, *Nocedicocco e il grande mago*
287 Vivian Lamarque, *Poesie di ghiaccio*
289 Vanna Cercenà, *La Rosa Rossa - Il sogno di Rosa Luxemburg*
290 Vanna Cercenà, *La piú bella del reame - Sissi, imperatrice d'Austria*
291 Beatrice Masini, *La notte della cometa sbagliata*
292 Vanna Cercenà, *Viaggio verso il sereno*
293 Sebastiano Ruiz Mignone, *Sherloco e il mistero dei tacchini scomparsi*
294 Geraldine McCaughrean, *Sotto il segno di Giove - Miti romani*
295 Bernard Chèze, *C'era una volta il cavallo*
296 L. Gandini / R. Piumini, *Fiabe campane*
297 Lewis Carroll, *Alice nel paese delle meraviglie*
298 Ingo Siegner, *Nocedicocco e il Cavaliere Nero*
299 Julia Donaldson, *I giganti e i Jones*
300 Alexandra Moss, *I diari della Royal Ballet School - Il sogno di Ellie*
301 Alexandra Moss, *I diari della Royal Ballet School - Il coraggio di Lara*
302 *Un anno di saggezza - 12 racconti da tutto il mondo*, a cura di Michel Piquemal
303 Jacques Cassabois, *Sette storie di troll*
304 Angela Nanetti, *Azzurrina*
305 Stefano Bordiglioni, *I pirati del galeone giallo*
306 Erminia Dell'Oro, *La Principessa sul cammello*
307 Angela Nanetti, *Venti... e una storia*
308 Sebastiano Ruiz Mignone, *Pelú, il goleador*

309 Benoît Reiss, *Il mondo prima del mondo - Miti delle origini*
310 *Occhio di serpe, lingua di fuoco - Storie di mostri e draghi*
311 Roberto Barbero, *L'orco che non mangiava i bambini*
312 Stefano Bordiglioni, *Voglio i miei mostri!*
313 Geraldine McCaughrean, *Grandi amori sull'Olimpo - Storie degli dei greci*
314 Geraldine McCaughrean, *Cenerentola e altre storie dai balletti*
315 Victor Rambaldi, *Zorra la volpe*
316 Stefano Bordiglioni, *Storie per te*
317 Roberto Piumini, *Storie d'amore*
318 Ingo Siegner, *Nocedicocco e il pirata*
319 Beatrice Masini, *Un papà racconta*
320 Francesca Ruggiu Traversi, *Il mistero del Gatto d'Oro*
321 *Terra gentile aria azzurrina - Poesia italiana*, a cura di Daniela Marcheschi
322 Roberto Piumini, *Mille cavalli*
323 Sebastiano Ruiz Mignone, *L'isola del faro*
324 Vanna Cercenà, *Frida Kahlo*
325 Vivian Lamarque, *Storie di animali per bambini senza animali*
326 Alexandra Moss, *I diari della Royal Ballet School - La perfezione di Isabelle*
327 Alexandra Moss, *I diari della Royal Ballet School - Il talento di Sophie*
328 Gareth Jones, *Agenzia investigativa Il Drago - Il caso dei gatti scomparsi*

Finito di stampare per conto delle Edizioni EL
presso LEGO S.p.A., Vicenza

Ristampa						Anno	
6	7	8	9		2007	2008	2009

VI 0005713428
FRA I BANCHI
VI RISTAMPA
RODARI GIANNI
STORIE E RIME
EDIZIONI EL